HEINRICH VON KLEIST

Das Käthchen
von Heilbronn

oder

die Feuerprobe

EIN GROSSES HISTORISCHES
RITTERSCHAUSPIEL

PHILIPP RECLAM JUN. STUTTGART

Der Text folgt der Ausgabe: Heinrich von Kleist: Sämtliche Werke und Briefe. Herausgegeben von Helmut Sembdner. 4., revidierte Auflage. München: Hanser, 1965

Erläuterungen und Dokumente zu Kleists »Käthchen von Heilbronn« liegen unter Nr. 8139[2] in Reclams Universal-Bibliothek vor.

Universal-Bibliothek Nr. 40
Alle Rechte vorbehalten
© 1969 Philipp Reclam jun. GmbH & Co., Stuttgart
Gesamtherstellung: Reclam, Ditzingen. Printed in Germany 1989
RECLAM und UNIVERSAL-BIBLIOTHEK sind eingetragene
Warenzeichen der Philipp Reclam jun. GmbH & Co., Stuttgart
ISBN 3-15-000040-8

PERSONEN

Der Kaiser
Gebhardt, *Erzbischof von Worms*
Friedrich Wetter, *Graf vom Strahl*
5 Gräfin Helena, *seine Mutter*
Eleonore, *ihre Nichte*
Ritter Flammberg, *des Grafen Vasall*
Gottschalk, *sein Knecht*
Brigitte, *Haushälterin im gräflichen Schloß*
10 Kunigunde von Thurneck
Rosalie, *ihre Kammerzofe*
[Sybille, *deren Stiefmutter*]
Theobald Friedeborn, *Waffenschmied aus Heilbronn*
Käthchen, *seine Tochter*
15 Gottfried Friedeborn, *ihr Bräutigam*
Maximilian, *Burggraf von Freiburg*
Georg von Waldstätten, *sein Freund*
[Ritter Schauermann ⎱ *seine Vasallen*]
[Ritter Wetzlaf ⎰
20 Der Rheingraf vom Stein, *Verlobter Kunigundens*
Friedrich von Herrnstadt ⎱ *seine Freunde*
Eginhardt von der Wart ⎰
Graf Otto von der Flühe ⎱ *Räte des Kaisers und Richter*
Wenzel von Nachtheim ⎰ *des heimlichen Gerichts*
25 Hans von Bärenklau
Jakob Pech, *ein Gastwirt*
Drei Herren von Thurneck
Kunigundens alte Tanten
Ein Köhlerjunge
30 Ein Nachtwächter
Mehrere Ritter
Ein Herold, zwei Köhler, Bediente, Boten, Häscher, Knechte
und Volk

Die Handlung spielt in Schwaben

ERSTER AKT

Szene: Eine unterirdische Höhle, mit den Insignien des Vehmgerichts, von einer Lampe erleuchtet.

ERSTER AUFTRITT

Graf Otto von der Flühe als Vorsitzer, Wenzel von Nachtheim, Hans von Bärenklau als Beisassen, mehrere Grafen, Ritter und Herren, sämtlich vermummt, Häscher mit Fackeln usw. – Theobald Friedeborn, Bürger aus Heilbronn, als Kläger, Graf Wetter vom Strahl als Beklagter, stehen vor den Schranken.

G r a f   O t t o *(steht auf).* Wir, Richter des hohen, heimlichen Gerichts, die wir, die irdischen Schergen Gottes, Vorläufer der geflügelten Heere, die er in seinen Wolken mustert, den Frevel aufsuchen, da, wo er, in der Höhle der Brust, gleich einem Molche verkrochen, vom Arm weltlicher Gerechtigkeit nicht aufgefunden werden kann: wir rufen dich, Theobald Friedeborn, ehrsamer und vielbekannter Waffenschmied aus Heilbronn auf, deine Klage anzubringen gegen Friedrich, Graf Wetter vom Strahle; denn dort, auf den ersten Ruf der heiligen Vehme, von des Vehmherolds Hand dreimal, mit dem Griff des Gerichtsschwerts, an die Tore seiner Burg, deinem Gesuch gemäß, ist er erschienen, und fragt, was du willst? *(Er setzt sich.)*

T h e o b a l d   F r i e d e b o r n. Ihr hohen, heiligen und geheimnisvollen Herren! Hätte *er*, auf den ich klage, sich bei mir ausrüsten lassen – setzet in Silber, von Kopf bis zu Fuß, oder in schwarzen Stahl, Schienen, Schnallen und Ringe von Gold; und hätte nachher, wenn ich gesprochen: Herr, bezahlt mich! geantwortet: Theobald! Was willst du? Ich bin dir nichts schuldig; oder wäre er vor die Schranken meiner Obrigkeit getreten, und hätte meine Ehre, mit der Zunge der Schlangen – oder wäre er aus dem Dunkel mitternächtlicher Wälder herausgebrochen und hätte mein Leben, mit Schwert und Dolch, angegriffen: so wahr mir Gott helfe! ich glaube, ich hätte nicht vor euch geklagt. Ich erlitt, in drei und funfzig Jahren, da ich lebe, so viel Unrecht, daß meiner Seele Gefühl nun gegen seinen Stachel wie gepanzert ist; und während ich Waffen schmiede, für andere, die die Mücken stechen, sag ich selbst zum Skorpion: fort mit dir! und laß ihn fahren. Friedrich, Graf Wetter vom Strahl, hat mir mein Kind verführt, meine Katharine. Nehmt ihn, ihr irdischen Schergen Gottes, und überliefert ihn allen geharnischten Scharen, die an den Pforten der Hölle stehen und ihre glutroten Spieße schwenken: ich klage ihn schändlicher Zauberei, aller Künste der schwarzen Nacht und der Verbrüderung mit dem Satan an!

G r a f   O t t o. Meister Theobald von Heilbronn! Erwäge wohl, was du sagst. Du bringst vor, der Graf vom Strahl, uns vielfältig und von guter Hand bekannt, habe dir dein Kind verführt. Du klagst ihn, hoff ich, der Zauberei nicht an, weil er deines Kindes *Herz* von dir abwendig gemacht? Weil er ein Mädchen, voll rascher Einbildungen, mit einer Frage, wer sie sei? oder wohl gar mit dem bloßen Schein seiner roten Wangen, unter dem Helmsturz hervorglühend, oder mit irgend einer andern Kunst des hellen Mittags ausgeübt auf jedem Jahrmarkt, für sich gewonnen hat?

T h e o b a l d. Es ist wahr, ihr Herren, ich sah ihn nicht zur Nachtzeit, an Mooren und schilfreichen Gestaden, oder wo sonst des Menschen Fuß selten erscheint, umherwandeln und mit den Irrlichtern Verkehr treiben. Ich fand ihn nicht auf den Spitzen der Gebirge, den Zauberstab in der Hand, das unsichtbare Reich der Luft abmessen, oder in unterirdischen Höhlen, die kein Strahl erhellt, Beschwörungsformeln aus dem Staub heraufmurmeln. Ich sah den Satan und die Scharen, deren Verbrüderten ich ihn nannte, mit Hörnern, Schwänzen und Klauen, wie sie zu Heilbronn, über dem Altar abgebildet sind, an seiner Seite nicht. Wenn ihr mich gleichwohl reden lassen wollt, so denke ich es durch eine schlichte Erzählung dessen, was sich zugetragen, dahin zu bringen, daß ihr aufbrecht, und ruft: unsrer sind dreizehn und der vierzehnte ist der Teu-

fel! zu den Türen rennt und den Wald, der diese Höhle
umgibt, auf dreihundert Schritte im Umkreis, mit euren
Taftmänteln und Federhüten besäet.

Graf Otto. Nun, du alter, wilder Kläger! so rede!

5 Theobald. Zuvörderst müßt ihr wissen, ihr Herren, daß
mein Käthchen Ostern, die nun verflossen, funfzehn Jahre
alt war; gesund an Leib und Seele, wie die ersten Menschen, die geboren worden sein mögen; ein Kind recht
nach der Lust Gottes, das heraufging aus der Wüsten, am
10 stillen Feierabend meines Lebens, wie ein gerader Rauch
von Myrrhen und Wachholdern! Ein Wesen von zarterer,
frommerer und lieberer Art müßt ihr euch nicht denken,
und kämt ihr, auf Flügeln der Einbildung, zu den lieben,
kleinen Engeln, die, mit hellen Augen, aus den Wolken,
15 unter Gottes Händen und Füßen hervorgucken. Ging sie
in ihrem bürgerlichen Schmuck über die Straße, den Strohhut auf, von gelbem Lack erglänzend, das schwarzsamtene
Leibchen, das ihre Brust umschloß, mit feinen Silberkett-
lein behängt: so lief es flüsternd von allen Fenstern her-
20 ab: das ist das Käthchen von Heilbronn; das Käthchen
von Heilbronn, ihr Herren, als ob der Himmel von
Schwaben sie erzeugt, und von seinem Kuß geschwängert,
die Stadt, die unter ihm liegt, sie geboren hätte. Vettern
und Basen, mit welchen die Verwandtschaft, seit drei
25 Menschengeschlechtern, vergessen worden war, nannten
sie, auf Kindtaufen und Hochzeiten, ihr liebes Mühmchen,
ihr liebes Bäschen; der ganze Markt, auf dem wir wohn-
ten, erschien an ihrem Namenstage, und bedrängte sich
und wetteiferte, sie zu beschenken; wer sie nur einmal,
30 gesehen und einen Gruß im Vorübergehen von ihr empfangen hatte, schloß sie acht folgende Tage lang, als ob
sie ihn gebessert hätte, in sein Gebet ein. Eigentümerin
eines Landguts, das ihr der Großvater, mit Ausschluß meiner, als einem Goldkinde, dem er sich liebreich bezeigen
35 wollte, vermacht hatte, war sie schon unabhängig von mir,
eine der wohlhabendsten Bürgerinnen der Stadt. Fünf
Söhne wackerer Bürger, bis in den Tod von ihrem Werte
gerührt, hatten nun schon um sie angehalten; die Ritter,
die durch die Stadt zogen, weinten, daß sie kein Fräulein
40 war; ach, und wäre sie eines gewesen, das Morgenland

wäre aufgebrochen, und hätte Perlen und Edelgesteine,
von Mohren getragen, zu ihren Füßen gelegt. Aber so-
wohl ihre, als meine Seele, bewahrte der Himmel vor
Stolz; und weil Gottfried Friedeborn, der junge Land-
mann, dessen Güter das ihrige umgrenzen, sie zum Weibe   5
begehrte, und sie auf meine Frage: Katharine, willt du
ihn? antwortete: Vater! Dein Wille sei meiner; so
sagte ich: der Herr segne euch! und weinte und jauchzte,
und beschloß, Ostern, die kommen, sie nun zur Kirche
zu bringen. – So war sie, ihr Herren, bevor sie mir dieser   10
entführte.

Graf Otto. Nun? Und wodurch entführte er sie dir?
Durch welche Mittel hat er sie dir und dem Pfade, auf
welchen du sie geführt hattest, wieder entrissen?

Theobald. Durch welche Mittel? – Ihr Herren, wenn   15
ich das sagen könnte, so begriffen es diese fünf Sinne, und
so ständ ich nicht vor euch und klagte auf alle, mir unbegreiflichen, Greuel der Hölle. Was soll ich vorbringen,
wenn ihr mich fragt, durch welche Mittel? Hat er sie am
Brunnen getroffen, wenn sie Wasser schöpfte, und gesagt: 20
Lieb Mädel, wer bist du? hat er sich an den Pfeiler gestellt, wenn sie aus der Mette kam, und gefragt: Lieb
Mädel, wo wohnst du? hat er sich, bei nächtlicher Weile,
an ihr Fenster geschlichen, und, indem er ihr einen Hals-
schmuck umgehängt, gesagt: Lieb Mädel, wo ruhst du?   25
Ihr hochheiligen Herren, damit war sie nicht zu gewinnen!
Den Judaskuß erriet unser Heiland nicht rascher, als sie
solche Künste. Nicht mit Augen, seit sie geboren ward,
hat sie ihn gesehen; ihren Rücken, und das Mal darauf,
das sie von ihrer seligen Mutter erbte, kannte sie besser,   30
als ihn. *(Er weint.)*

Graf Otto *(nach einer Pause).* Und gleichwohl, wenn
er sie verführt hat, du wunderlicher Alter, so muß es wann
und irgendwo geschehen sein?

Theobald. Heiligen Abend vor Pfingsten, da er auf   35
fünf Minuten in meine Werkstatt kam, um sich, wie er
sagte, eine Eisenschiene, die ihm zwischen Schulter und
Brust losgegangen war, wieder zusammenzuheften zu lassen.

Wenzel. Was!

Hans. Am hellen Mittag?   40

W e n z e l. Da er auf fünf Minuten in deine Werkstatt
kam, um sich eine Brustschiene anheften zu lassen?
(Pause.)
G r a f O t t o. Fasse dich, Alter, und erzähle den Hergang.
5 T h e o b a l d *(indem er sich die Augen trocknet)*. Es mochte
ohngefähr eilf Uhr morgens sein, als er, mit einem Troß
Reisiger, vor mein Haus sprengte, rasselnd, der Erzgepan-
zerte, vom Pferd stieg, und in meine Werkstatt trat: das
Haupt tief herab neigt' er, um mit den Reiherbüschen, die
10 ihm vom Helm niederwankten, durch die Tür zu kommen. Meister, schau her, spricht er: dem Pfalzgrafen, der
eure Wälle niederreißen will, zieh ich entgegen; die Lust,
ihn zu treffen, sprengt mir die Schienen; nimm Eisen und
Draht, ohne daß ich mich zu entkleiden brauche, und heft
15 sie mir wieder zusammen. Herr! sag ich: wenn Euch die
Brust so die Rüstung zerschmeißt, so läßt der Pfalzgraf
unsere Wälle ganz; nötig ihn auf einen Sessel, in des Zim-
mers Mitte nieder, und: Wein! ruf ich in die Türe, und
vom frischgeräucherten Schinken, zum Imbiß! und setz
20 einen Schemel, mit Werkzeugen versehn, vor ihn, um ihm
die Schiene wieder herzustellen. Und während draußen
noch der Streithengst wiehert, und, mit den Pferden der
Knechte, den Grund zerstampft, daß der Staub, als wär
ein Cherub vom Himmel niedergefahren, emporquoll:
25 öffnet langsam, ein großes, flaches Silbergeschirr auf dem
Kopf tragend, auf welchem Flaschen, Gläser und der Imbiß gestellt waren, das Mädchen die Türe und tritt ein.
Nun seht, wenn mir Gott der Herr aus Wolken erschiene,
so würd ich mich ohngefähr so fassen, wie sie. Geschirr
30 und Becher und Imbiß, da sie den Ritter erblickt, läßt sie
fallen; und leichenbleich, mit Händen, wie zur Anbetung
verschränkt, den Boden mit Brust und Scheiteln küssend,
stürzt sie vor ihm nieder, als ob sie ein Blitz nieder ge-
schmettert hätte! Und da ich sage: Herr meines Lebens!
35 Was fehlt dem Kind? und sie aufhebe: schlingt sie, wie
ein Taschenmesser zusammenfallend, den Arm um mich,
das Antlitz flammend auf ihn gerichtet, als ob sie eine
Erscheinung hätte. Der Graf vom Strahl, indem er ihre
Hand nimmt, fragt: wes ist das Kind? Gesellen und
40 Mägde strömen herbei und jammern: hilf Himmel! Was

ist dem Jüngferlein widerfahren; doch da sie sich, mit
einigen schüchternen Blicken auf sein Antlitz, erholt, so
denk ich, der Anfall ist wohl auch vorüber, und gehe, mit
Pfriemen und Nadeln, an mein Geschäft. Drauf sag ich:
Wohlauf, Herr Ritter! Nun mögt Ihr den Pfalzgrafen   5
treffen; die Schiene ist eingerenkt, das Herz wird sie Euch
nicht mehr zersprengen. Der Graf steht auf; er schaut das
Mädchen, das ihm bis an die Brusthöhle ragt, vom Wirbel
zur Sohle, gedankenvoll an, und beugt sich, und küßt ihr
die Stirn und spricht: der Herr segne dich, und behüte   10
dich, und schenke dir seinen Frieden, Amen! Und da wir
an das Fenster treten: schmeißt sich das Mädchen, in dem
Augenblick, da er den Streithengst besteigt, dreißig Fuß
hoch, mit aufgehobenen Händen, auf das Pflaster der
Straße nieder: gleich einer Verlorenen, die ihrer fünf Sinne   15
beraubt ist! Und bricht sich beide Lenden, ihr heiligen
Herren, beide zarten Lendchen, dicht über des Knierunds
elfenbeinernem Bau; und ich, alter, bejammernswürdiger
Narr, der mein versinkendes Leben auf sie stützen wollte,
muß sie, auf meinen Schultern, wie zu Grabe tragen; in-   20
dessen er dort, den Gott verdamme! zu Pferd, unter dem
Volk, das herbeiströmt, herüberruft von hinten, was vorgefallen sei! – Hier liegt sie nun, auf dem Todbett, in der
Glut des hitzigen Fiebers, sechs endlose Wochen, ohne sich
zu regen. Keinen Laut bringt sie hervor; auch nicht der   25
Wahnsinn, dieser Dietrich aller Herzen, eröffnet das
ihrige; kein Mensch vermag das Geheimnis, das in ihr
waltet, ihr zu entlocken. Und prüft, da sie sich ein wenig
erholt hat, den Schritt, und schnürt ihr Bündel, und tritt,
beim Strahl der Morgensonne, in die Tür: wohin? fragt   30
sie die Magd; zum Grafen Wetter vom Strahl, antwortet
sie, und verschwindet.

W e n z e l. Es ist nicht möglich!

H a n s. Verschwindet?

W e n z e l. Und läßt alles hinter sich zurück?   35

H a n s. Eigentum, Heimat und den Bräutigam, dem sie
verlobt war?

W e n z e l. Und begehrt auch deines Segens nicht einmal?

T h e o b a l d. Verschwindet, ihr Herren – Verläßt mich und
alles, woran Pflicht, Gewohnheit und Natur sie knüpf-   40

ten – Küßt mir die Augen, die schlummernden, und verschwindet; ich wollte, sie hätte sie mir zugedrückt. –

W e n z e l. Beim Himmel! Ein seltsamer Vorfall. –

T h e o b a l d. Seit jenem Tage folgt sie ihm nun, gleich
5 einer Metze, in blinder Ergebung, von Ort zu Ort; geführt
am Strahl seines Angesichts, fünfdrähtig, wie einen Tau,
um ihre Seele gelegt; auf nackten, jedem Kiesel ausgesetz-
ten, Füßen, das kurze Röckchen, das ihre Hüfte deckt, im
Winde flatternd, nichts als den Strohhut auf, sie gegen
10 der Sonne Stich, oder den Grimm empörter Witterung zu
schützen. Wohin sein Fuß, im Lauf seiner Abenteuer, sich
wendet: durch den Dampf der Klüfte, durch die Wüste,
die der Mittag versengt, durch die Nacht verwachsener
Wälder: wie ein Hund, der von seines Herren Schweiß
15 gekostet, schreitet sie hinter ihm her; und die gewohnt
war, auf weichen Kissen zu ruhen, und das Knötlein
spürte, in des Bettuchs Faden, das ihre Hand unachtsam
darin eingesponnen hatte: die liegt jetzt, einer Magd
gleich, in seinen Ställen, und sinkt, wenn die Nacht
20 kömmt, ermüdet auf die Streu nieder, die seinen stolzen
Rossen untergeworfen wird.

G r a f O t t o. Graf Wetter vom Strahl! Ist dies gegründet?

D e r G r a f v o m S t r a h l. Wahr ists, ihr Herren; sie geht
auf der Spur, die hinter mir zurückbleibt. Wenn ich mich
25 umsehe, erblick ich zwei Dinge: meinen Schatten und sie.

G r a f O t t o. Und wie erklärt Ihr Euch diesen sonder-
baren Umstand?

D e r G r a f v o m S t r a h l. Ihr unbekannten Herren der
Vehme! Wenn der Teufel sein Spiel mit ihr treibt, so
30 braucht er mich dabei, wie der Affe die Pfoten der Katze;
ein Schelm will ich sein, holt er den Nußkern für mich.
Wollt ihr meinem Wort schlechthin, wies die heilige
Schrift vorschreibt, glauben: ja, ja, nein, nein; gut! Wo
nicht, so will ich nach Worms, und den Kaiser bitten, daß
35 er den Theobald ordiniere. Hier werf ich ihm vorläufig
meinen Handschuh hin!

G r a f O t t o. Ihr sollt hier Rede stehn, auf unsre Frage!
Womit rechtfertigt Ihr, daß sie unter Eurem Dache schläft?
Sie, die in das Haus hingehört, wo sie geboren und er-
40 zogen ward?

Der Graf vom Strahl. Ich war, es mögen ohngefähr
zwölf Wochen sein, auf einer Reise, die mich nach Straßburg führte, ermüdet, in der Mittagshitze, an einer Fels-
wand, eingeschlafen – nicht im Traum gedacht ich des
Mädchens mehr, das in Heilbronn aus dem Fenster ge-   5
stürzt war – da liegt sie mir, wie ich erwache, gleich einer
Rose, entschlummert zu Füßen; als ob sie vom Himmel
herabgeschneit wäre! Und da ich zu den Knechten, die im
Grase herumliegen, sage: Ei, was der Teufel! Das ist ja
das Käthchen von Heilbronn! schlägt sie die Augen auf,   10
und bindet sich das Hütlein zusammen, das ihr schlafend
vom Haupt herabgerutscht war. Katharine! ruf ich: Mädel! Wo kömmst auch her? Auf funfzehn Meilen von
Heilbronn, fernab am Gestade des Rheins? »Hab ein Geschäft, gestrenger Herr«, antwortet sie, »das mich gen   15
Straßburg führt; schauert mich im Wald so einsam zu
wandern, und schlug mich zu Euch.« Drauf laß ich ihr zur
Erfrischung reichen, was mir Gottschalk, der Knecht, mit
sich führt, und erkundige mich: wie der Sturz abgelaufen?
auch, was der Vater macht? Und was sie in Straßburg zu   20
erschaffen denke? Doch da sie nicht freiherzig mit der
Sprache herausrückt: was auch gehts dich an, denk ich;
ding ihr einen Boten, der sie durch den Wald führe,
schwing mich auf den Rappen, und reite ab. Abends, in
der Herberg, an der Straßburger Straß, will ich mich eben   25
zur Ruh niederlegen: da kommt Gottschalk, der Knecht,
und spricht: das Mädchen sei unten und begehre in meinen
Ställen zu übernachten. Bei den Pferden? frag ich. Ich
sage: wenns ihr weich genug ist, mich wirds nicht drük-
ken. Und füge noch, indem ich mich im Bett wende, hin-   30
zu: magst ihr wohl eine Streu unterlegen, Gottschalk, und
sorgen, daß ihr nichts widerfahre. Drauf, wandert sie,
kommenden Tages früher aufgebrochen, als ich, wieder
auf der Heerstraße, und lagert sich wieder in meinen
Ställen, und lagert sich Nacht für Nacht, so wie mir der   35
Streifzug fortschreitet, darin, als ob sie zu meinem Troß
gehörte. Nun litt ich das, ihr Herren, um jenes grauen,
unwirschen Alten willen, der mich jetzt darum straft;
denn der Gottschalk, in seiner Wunderlichkeit, hatte das
Mädchen lieb gewonnen, und pflegte ihrer, in der Tat, als   40

seiner Tochter; führt dich die Reise einst, dacht ich, durch
Heilbronn, so wird der Alte dirs danken. Doch da sie sich
auch in Straßburg, in der erzbischöflichen Burg, wieder
bei mir einfindet, und ich gleichwohl spüre, daß sie nichts
5 im Orte erschafft: denn *mir* hatte sie sich ganz und gar
geweiht, und wusch und flickte, als ob es sonst am Rhein
nicht zu haben wäre: so trete ich eines Tages, da ich sie
auf der Stallschwelle finde, zu ihr und frage: was für ein
Geschäft sie in Straßburg betreibe? Ei, spricht sie, gestren-
10 ger Herr, und eine Röte, daß ich denke, ihre Schürze wird
angehen, flammt über ihr Antlitz empor: »was fragt Ihr
doch? Ihr wißts ja!« – Holla! denk ich, steht es so mit
dir? und sende einen Boten flugs nach Heilbronn, dem
Vater zu, mit folgender Meldung: das Käthchen sei bei
15 mir; ich hütete seiner; in kurzem könne er es, vom
Schlosse zu Strahl, wohin ich es zurückbringen würde, ab-
holen.
G r a f O t t o. Nun? Und hierauf?
W e n z e l. Der Alte holte die Jungfrau nicht ab?
20 D e r G r a f v o m S t r a h l. Drauf, da er am zwanzig-
sten Tage, um sie abzuholen, bei mir erscheint, und ich
ihn in meiner Väter Saal führe: erschau ich mit Befrem-
den, daß er, beim Eintritt in die Tür, die Hand in den
Weihkessel steckt, und mich mit dem Wasser, das darin
25 befindlich ist, besprengt. Ich arglos, wie ich von Natur
bin, nötge ihn auf einen Stuhl nieder; erzähle ihm, mit
Offenherzigkeit, alles, was vorgefallen; eröffne ihm auch,
in meiner Teilnahme, die Mittel, wie er die Sache, seinen
Wünschen gemäß, wieder ins Geleis rücken könne; und
30 tröste ihn und führ ihn, um ihm das Mädchen zu übergeben, in den Stall hinunter, wo sie steht, und mir eine
Waffe von Rost säubert. So wie er in die Tür tritt, und
die Arme mit tränenvollen Augen öffnet, sie zu empfangen, stürzt mir das Mädchen leichenbleich zu Füßen, alle
35 Heiligen anrufend, daß ich sie vor ihm schütze. Gleich
einer Salzsäule steht er, bei diesem Anblick, da; und ehe
ich mich noch gefaßt habe, spricht er schon, das ent-
setzensvolle Antlitz auf mich gerichtet: das ist der leib-
haftige Satan! und schmeißt mir den Hut, den er in der
40 Hand hält, ins Gesicht, als wollt er ein Greuelbild ver-

schwinden machen, und läuft, als setzte die ganze Hölle
ihm nach, nach Heilbronn zurück.

Graf Otto. Du wunderlicher Alter! Was hast du für
Einbildungen?

Wenzel. Was war in dem Verfahren des Ritters, das 5
Tadel verdient? Kann er dafür, wenn sich das Herz deines törichten Mädchens ihm zuwendet?

Hans. Was ist in diesem ganzen Vorfall, das ihn anklagt?

Theobald. Was ihn anklagt? O du – Mensch, entsetz-
licher, als Worte fassen, und der Gedanke ermißt: stehst 10
du nicht rein da, als hätten die Cherubim sich entkleidet,
und ihren Glanz dir, funkelnd wie Mailicht, um die Seele
gelegt! – Mußt ich vor dem Menschen nicht erbeben, der
die Natur, in dem reinsten Herzen, das je geschaffen
ward, dergestalt umgekehrt hat, daß sie vor dem Vater, 15
zu ihr gekommen, seiner Liebe Brust ihren Lippen zu
reichen, kreideweißen Antlitzes entweicht, wie vor dem
Wolfe, der sie zerreißen will? Nun denn, so walte, Hekate, Fürstin des Zaubers, moorduftige Königin der
Nacht! Sproßt, ihr dämonischen Kräfte, die die mensch- 20
liche Satzung sonst auszujäten bemüht war, blüht auf,
unter dem Atem der Hexen, und schoßt zu Wäldern empor, daß die Wipfel sich zerschlagen, und die Pflanze des
Himmels, die am Boden keimt, verwese; rinnt, ihr Säfte
der Hölle, tröpfelnd aus Stämmen und Stielen gezogen, 25
fallt, wie ein Katarakt, ins Land, daß der erstickende
Pestqualm zu den Wolken empordampft; fließt und er-
gießt euch durch alle Röhren des Lebens, und schwemmt,
in allgemeiner Sündflut, Unschuld und Tugend hinweg!

Graf Otto. Hat er ihr Gift eingeflößt? 30

Wenzel. Meinst du, daß er ihr verzauberte Tränke ge-
reicht?

Hans. Opiate, die des Menschen Herz, der sie genießt, mit
geheimnisvoller Gewalt umstricken?

Theobald. Gift? Opiate? Ihr hohen Herren, was fragt 35
ihr mich? Ich habe die Flaschen nicht gepfropft, von welchen er ihr, an der Wand des Felsens, zur Erfrischung
reichte; ich stand nicht dabei, als sie in der Herberge,
Nacht für Nacht, in seinen Ställen schlief. Wie soll ich
wissen, ob er ihr Gift eingeflößt? habt neun Monate Ge- 40

duld; alsdann sollt ihr sehen, wies ihrem jungen Leibe
bekommen ist.
Der Graf vom Strahl. Der alte Esel, der! Dem
entgegn' ich nichts, als meinen Namen! Ruft sie herein;
5   und wenn sie ein Wort sagt, auch nur von fern duftend,
wie diese Gedanken, so nennt mich den Grafen von der
stinkenden Pfütze, oder wie es sonst eurem gerechten Un-
willen beliebt.

ZWEITER AUFTRITT

10 *Käthchen mit verbundenen Augen, geführt von zwei*
Häschern. – Die Häscher nehmen ihr das Tuch ab, und gehen
wieder fort. – Die Vorigen.

Käthchen *(sieht sich in der Versammlung um, und*
beugt, da sie den Grafen erblickt, ein Knie vor ihm).
15   Mein hoher Herr!
Der Graf vom Strahl. Was willst du?
Käthchen. Vor meinen Richter hat man mich gerufen.
Der Graf vom Strahl.
Dein Richter bin nicht *ich.* Steh auf, dort sitzt er;
20   Hier steh ich, ein Verklagter, so wie du.
Käthchen. Mein hoher Herr! Du spottest.
Der Graf vom Strahl.   Nein! Du hörst!
Was neigst du mir dein Angesicht in Staub?
Ein Zaubrer bin ich, und gestand es schon,
25   Und laß, aus jedem Band, das ich dir wirkte,
Jetzt deine junge Seele los. *(Er erhebt sie.)*
Graf Otto.
Hier Jungfrau, wenns beliebt; hier ist die Schranke!
Hans. Hier sitzen deine Richter!
30 Käthchen *(sieht sich um).*   Ihr versucht mich.
Wenzel. Hier tritt heran! Hier sollst du Rede stehn.
Käthchen *(stellt sich neben den Grafen vom Strahl,*
und sieht die Richter an).
Graf Otto. Nun?
35 Wenzel.   Wirds?
Hans.   Wirst du gefällig dich bemühn?
Graf Otto. Wirst dem Gebot dich deiner Richter fügen?

Käthchen *(für sich)*. Sie rufen mich.
Wenzel.   Nun, ja!
Hans.   Was sagte sie?
Graf Otto *(befremdet)*.
    Ihr Herrn, was fehlt dem sonderbaren Wesen?   5
        (Sie sehen sich an.)
Käthchen *(für sich)*.
    Vermummt von Kopf zu Füßen sitzen sie,
    Wie das Gericht, am jüngsten Tage, da!
Der Graf vom Strahl *(sie aufweckend)*.   10
    Du wunderliche Maid! Was träumst, was treibst du?
    Du stehst hier vor dem heimlichen Gericht!
    Auf jene böse Kunst bin ich verklagt,
    Mit der ich mir, du weißt, dein Herz gewann,
    Geh hin, und melde jetzo, was geschehn!   15
Käthchen *(sieht ihn an und legt ihre Hände auf die
    Brust)*. – Du quälst mich grausam, daß ich weinen möchte!
    Belehre deine Magd, mein edler Herr,
    Wie soll ich mich in diesem Falle fassen?
Graf Otto *(ungeduldig)*. Belehren – was!   20
Hans.   Bei Gott! Ist es erhört?
Der Graf vom Strahl *(mit noch milder Strenge)*.
    Du sollst sogleich vor jene Schranke treten,
    Und Rede stehn, auf was man fragen wird!
Käthchen. Nein, sprich! Du bist verklagt?   25
Der Graf vom Strahl.   Du hörst.
Käthchen. Und jene Männer dort sind deine Richter?
Der Graf vom Strahl.   So ists.
Käthchen *(zur Schranke tretend)*.
    Ihr würdgen Herrn, wer ihr auch sein mögt dort,   30
    Steht gleich vom Richtstuhl auf und räumt ihn diesem!
    Denn, beim lebendgen Gott, ich sag es euch,
    Rein, wie sein Harnisch ist sein Herz, und eures
    Verglichen ihm, und meins, wie eure Mäntel.
    Wenn hier gesündigt ward, ist *er* der Richter,   35
    Und ihr sollt zitternd vor der Schranke stehn!
Graf Otto.
    Du, Närrin, jüngst der Nabelschnur entlaufen,
    Woher kommt die prophetsche Kunde dir?
    Welch ein Apostel hat dir das vertraut?   40

Theobald. Seht die Unselige!
Käthchen *(da sie den Vater erblickt, auf ihn zugehend).*
                     Mein teurer Vater!
   (Sie will seine Hand ergreifen.)
5 Theobald *(streng).*
     Dort ist der Ort jetzt, wo du hingehörst!
Käthchen. Weis mich nicht von dir.
   (Sie faßt seine Hand und küßt sie.)
Theobald.   – Kennst du das Haar noch wieder,
10   Das deine Flucht mir jüngsthin grau gefärbt?
Käthchen.
     Kein Tag verging, daß ich nicht einmal dachte,
     Wie seine Locken fallen. Sei geduldig,
     Und gib dich nicht unmäßgem Grame preis:
15   Wenn Freude Locken wieder dunkeln kann,
     So sollst du wieder wie ein Jüngling blühn.
Graf Otto. Ihr Häscher dort! ergreift sie! bringt sie her!
Theobald. Geh hin, wo man dich ruft.
Käthchen *(zu den Richtern, da sich ihr die Häscher
20 nähern).*   Was wollt ihr mir?
Wenzel. Saht ihr ein Kind, so störrig je, als dies?
Graf Otto *(da sie vor der Schranke steht).*
     Du sollst hier Antwort geben, kurz und bündig,
     Auf unsre Fragen! Denn wir, von unserem
25   Gewissen eingesetzt, sind deine Richter,
     Und an der Strafe, wenn du freveltest,
     Wirds deine übermütge Seele fühlen.
Käthchen.
     Sprecht ihr verehrten Herrn; was wollt ihr wissen?
30 Graf Otto.
     Warum, als Friedrich Graf vom Strahl erschien,
     In deines Vaters Haus, bist du zu Füßen,
     Wie man vor Gott tut, nieder ihm gestürzt?
     Warum warfst du, als er von dannen ritt,
35   Dich aus dem Fenster sinnlos auf die Straße,
     Und folgtest ihm, da kaum dein Bein vernarbt,
     Von Ort zu Ort, durch Nacht und Graus und Nebel,
     Wohin sein Roß den Fußtritt wendete?
Käthchen *(hochrot zum Grafen).*
40   Das soll ich hier vor diesen Männern sagen?

D e r   G r a f   v o m   S t r a h l.
    Die Närrin, die verwünschte, sinnverwirrte,
    Was fragt sie *mich*? Ists nicht an jener Männer
    Gebot, die Sache darzutun, genug?
K ä t h c h e n *(in Staub niederfallend).*   5
    Nimm mir, o Herr, das Leben, wenn ich fehlte!
    Was in des Busens stillem Reich geschehn,
    Und Gott nicht straft, das braucht kein Mensch zu
                    wissen;
    Den nenn ich grausam, der mich darum fragt!   10
    Wenn *du* es wissen willst, wohlan, so rede,
    Denn dir liegt meine Seele offen da!
H a n s. Ward, seit die Welt steht, so etwas erlebt?
W e n z e l. Im Staub liegt sie vor ihm –
H a n s.   Gestürzt auf Knieen – 15
W e n z e l. Wie wir vor dem Erlöser hingestreckt!
D e r   G r a f   v o m   S t r a h l *(zu den Richtern).*
    Ihr würdgen Herrn, ihr rechnet, hoff ich, mir
    Nicht dieses Mädchens Torheit an! Daß sie
    Ein Wahn betört, ist klar, wenn euer Sinn   20
    Auch gleich, wie meiner, noch nicht einsieht, welcher?
    Erlaubt ihr mir, so frag ich sie darum:
    Ihr mögt, aus meinen Wendungen entnehmen,
    Ob meine Seele schuldig ist, ob nicht?
G r a f   O t t o *(ihn forschend ansehend).*   25
    Es sei! Versuchts einmal, Herr Graf, und fragt sie.
D e r   G r a f   v o m   S t r a h l *(wendet sich zu Käthchen,*
    die noch immer auf Knieen liegt).
    Willt den geheimsten der Gedanken mir,
    Kathrina, der dir irgend, faß mich wohl,   30
    Im Winkel wo des Herzens schlummert, geben?
K ä t h c h e n. Das ganze Herz, o Herr, willt du es,
    So bist du sicher des, was darin wohnt.
D e r   G r a f   v o m   S t r a h l.
    Was ists, mit einem Wort, mir rund gesagt,   35
    Das dich aus deines Vaters Hause trieb?
    Was fesselt dich an meine Schritte an?
K ä t h c h e n.
    Mein hoher Herr! Da fragst du mich zuviel.
    Und läg ich so, wie ich vor dir jetzt liege,   40

Vor meinem eigenen Bewußtsein da:
Auf einem goldnen Richtstuhl laß es thronen,
Und alle Schrecken des Gewissens ihm,
In Flammenrüstungen, zur Seite stehn;
5   So spräche jeglicher Gedanke noch,
Auf das, was du gefragt: ich weiß es nicht.

Der Graf vom Strahl.
Du lügst mir, Jungfrau? Willst mein Wissen täuschen?
Mir, der doch das Gefühl dir ganz umstrickt;
10   Mir, dessen Blick du da liegst, wie die Rose,
Die ihren jungen Kelch dem Licht erschloß? –
Was hab ich dir einmal, du weißt, getan?
Was ist an Leib und Seel dir widerfahren?

Käthchen.
15   Wo?

Der Graf vom Strahl.
     Da oder dort.

Käthchen. Wann?

Der Graf vom Strahl. Jüngst oder früherhin.

20 **Käthchen.** Hilf mir, mein hoher Herr.

Der Graf vom Strahl. Ja, ich dir helfen,
Du wunderliches Ding. – *(Er hält inne.)*
              Besinnst du dich auf nichts?

Käthchen *(sieht vor sich nieder).*

25 **Der Graf vom Strahl.**
Was für ein Ort, wo du mich je gesehen,
Ist dir im Geist, vor andern, gegenwärtig.

Käthchen. Der Rhein ist mir vor allen gegenwärtig.

Der Graf vom Strahl.
30   Ganz recht. Da eben wars. Das wollt ich wissen.
Der Felsen am Gestad des Rheins, wo wir
Zusammen ruhten, in der Mittagshitze.
– Und du gedenkst nicht, was dir da geschehn?

Käthchen. Nein, mein verehrter Herr.

35 **Der Graf vom Strahl.** Nicht? Nicht?
– Was reicht ich deiner Lippe zur Erfrischung?

Käthchen.
Du sandtest, weil ich deines Weins verschmähte,
Den Gottschalk, deinen treuen Knecht, und ließest
40   Ihn einen Trunk mir, aus der Grotte schöpfen.

Der Graf vom Strahl.
      Ich aber nahm dich bei der Hand, und reichte
      Sonst deiner Lippe – nicht? Was stockst du da?
Käthchen. Wann?
Der Graf vom Strahl.   5
                  Eben damals.
Käthchen.   Nein, mein hoher Herr.
Der Graf vom Strahl.
      Jedoch nachher.
Käthchen.   In Straßburg?   10
Der Graf vom Strahl.   Oder früher.
Käthchen.
      Du hast mich niemals bei der Hand genommen.
Der Graf vom Strahl.
      Kathrina!   15
Käthchen *(errötend).*   Ach vergib mir; in Heilbronn!
Der Graf vom Strahl.
      Wann?
Käthchen.   Als der Vater dir am Harnisch wirkte.
Der Graf vom Strahl.   20
      Und sonst nicht?
Käthchen.   Nein, mein hoher Herr.
Der Graf vom Strahl.   Kathrina!
Käthchen. Mich bei der Hand?
Der Graf vom Strahl.   Ja, oder sonst, was weiß ich. 25
Käthchen *(besinnt sich).*
      In Straßburg einst, erinnr' ich mich, beim Kinn.
Der Graf vom Strahl.
      Wann?
Käthchen.   Als ich auf der Schwelle saß und weinte, 30
      Und dir auf was du sprachst, nicht Rede stand.
Der Graf vom Strahl.
      Warum nicht standst du Red?
Käthchen.   Ich schämte mich.
Der Graf vom Strahl.   35
      Du schämtest dich? Ganz recht. Auf meinen Antrag.
      Du wardst glutrot bis an den Hals hinab.
      Welch einen Antrag macht ich dir?
Käthchen.   Der Vater,
      Der würd, sprachst du, daheim im Schwabenland,   40

    Um mich sich härmen, und befragtest mich,
    Ob ich mit Pferden, die du senden wolltest,
    Nicht nach Heilbronn zu ihm zurück begehrte?

Der Graf vom Strahl *(kalt).*
5   Davon ist nicht die Rede! – Nun, wo auch,
    Wo hab ich sonst im Leben dich getroffen?
    – Ich hab im Stall zuweilen dich besucht.

Käthchen. Nein, mein verehrter Herr.

Der Graf vom Strahl.   Nicht? Katharina!
10 Käthchen. Du hast mich niemals in dem Stall besucht,
    Und noch viel wen'ger rührtest du mich an.

Der Graf vom Strahl.
    Was? Niemals?

Käthchen.   Nein, mein hoher Herr.

15 Der Graf vom Strahl.   Kathrina!

Käthchen *(mit Affekt).*
    Niemals, mein hochverehrter Herr, niemals.

Der Graf vom Strahl.
    Nun seht, bei meiner Treu, die Lügnerin!

20 Käthchen. Ich will nicht selig sein, ich will verderben,
    Wenn du mich je –!

Der Graf vom Strahl *(mit dem Schein der Heftig-*
    keit.)   Da schwört sie und verflucht
    Sich, die leichtfertge Dirne, noch und meint,
25   Gott werd es ihrem jungen Blut vergeben!
    – Was ist geschehn, fünf Tag von hier, am Abend,
    In meinem Stall, als es schon dunkelte,
    Und ich den Gottschalk hieß, sich zu entfernen?

Käthchen. O! Jesus! Ich bedacht es nicht! –
30   Im Stall zu Strahl, da hast du mich besucht.

Der Graf vom Strahl.
    Nun denn! Da ists heraus! Da hat sie nun
    Der Seelen Seligkeit sich weggeschworen!
    Im Stall zu Strahl, da hab ich sie besucht!
35   *(Käthchen weint.)*
               (Pause.)

Graf Otto. Ihr quält das Kind zu sehr.

Theobald *(nähert sich ihr gerührt).*
                  Komm, meine Tochter.
40 *(Er will sie an seine Brust heben.)*

K ä t h c h e n. Laß, laß!
W e n z e l.   Das nenn ich menschlich nicht verfahren.
G r a f   O t t o.
    Zuletzt ist nichts im Stall zu Strahl geschehen.
D e r   G r a f   v o m   S t r a h l *(sieht sie an).*   5
    Bei Gott, ihr Herrn, wenn ihr des Glaubens seid:
    Ich bins! Befehlt, so gehn wir aus einander.
G r a f   O t t o. Ihr sollt das Kind befragen, ist die Meinung,
    Nicht mit barbarischem Triumph verhöhnen.
    Seis, daß Natur Euch solche Macht verliehen: 10
    Geübt wie Ihrs tut, ist sie hassenswürdger,
    Als selbst die Höllenkunst, der man Euch zeiht.
D e r   G r a f   v o m   S t r a h l *(erhebt das Käthchen vom
  Boden).* Ihr Herrn, was ich getan, das tat ich nur,
    Sie mit Triumph hier vor euch zu erheben!   15
    Statt meiner – *(Auf den Boden hinzeigend.)*
             steht mein Handschuh vor Gericht!
    Glaubt ihr von Schuld sie rein, wie sie es ist,
    Wohl, so erlaubt denn, daß sie sich entferne.
W e n z e l.   20
    Es scheint Ihr habt viel Gründe, das zu wünschen?
D e r   G r a f   v o m   S t r a h l.
    Ich? Gründ? Entscheidende! Ihr wollt sie, hoff ich,
    Nicht mit barbarschem Übermut verhöhnen?
W e n z e l *(mit Bedeutung).*   25
    Wir wünschen doch, erlaubt Ihrs, noch zu hören,
    Was in dem Stall damals zu Strahl geschehn.
D e r   G r a f   v o m   S t r a h l.
    Das wollt ihr Herrn noch –?
W e n z e l.   Allerdings!   30
D e r   G r a f   v o m   S t r a h l *(glutrot, indem er sich zum
  Käthchen wendet).*   Knie nieder!
    (Käthchen läßt sich auf Knieen vor ihm nieder.)
G r a f   O t t o.
    Ihr seid sehr dreist, Herr Friedrich Graf vom Strahl!   35
D e r   G r a f   v o m   S t r a h l *(zum Käthchen).*
    So! Recht! Mir gibst du Antwort und sonst keinem.
H a n s. Erlaubt! *Wir* werden sie –
D e r   G r a f   v o m   S t r a h l *(ebenso).*
                Du rührst dich nicht!   40

Hier soll dich keiner richten, als nur der,
Dem deine Seele frei sich unterwirft.
W e n z e l. Herr Graf, man wird hier Mittel –
D e r G r a f v o m S t r a h l *(mit unterdrückter Heftigkeit)*.
                                              Ich sage, nein!
Der Teufel soll mich holen, zwingt ihr sie! –
Was wollt ihr wissen, ihr verehrten Herrn?
H a n s *(auffahrend)*.
         Beim Himmel!
W e n z e l.   Solch ein Trotz soll –!
H a n s.   He! Die Häscher!
G r a f O t t o *(halblaut)*.
Laßt, Freunde, laßt! Vergeßt nicht, wer er ist.
E r s t e r R i c h t e r.
Er hat nicht eben, drückt Verschuldung ihn,
Mit List sie überhört.
Z w e i t e r R i c h t e r. Das sag ich auch!
Man kann ihm das Geschäft wohl überlassen.
G r a f O t t o *(zum Grafen vom Strahl)*.
Befragt sie, was geschehn, fünf Tag von hier,
Im Stall zu Strahl, als es schon dunkelte,
Und ihr den Gottschalk hießt, sich zu entfernen?
D e r G r a f v o m S t r a h l *(zum Käthchen)*.
Was ist geschehn, fünf Tag von hier, am Abend,
Im Stall zu Strahl, als es schon dunkelte,
Und ich den Gottschalk hieß, sich zu entfernen?
K ä t h c h e n. Mein hoher Herr! Vergib mir, wenn ich fehlte;
Jetzt leg ich alles, Punkt für Punkt, dir dar.
D e r G r a f v o m S t r a h l.
Gut. – – Da berühr ich dich und zwar – nicht? Freilich!
Das schon gestandst du?
K ä t h c h e n.   Ja, mein verehrter Herr.
D e r G r a f v o m S t r a h l.
Nun?
K ä t h c h e n. Mein verehrter Herr?
D e r G r a f v o m S t r a h l.   Was will ich wissen?
K ä t h c h e n. Was du willst wissen?
D e r G r a f v o m S t r a h l. Heraus damit! Was stockst du?
Ich nahm, und herzte dich, und küßte dich,
Und schlug den Arm dir –?

Käthchen.   Nein, mein hoher Herr.
Der Graf vom Strahl.
    Was sonst?
Käthchen. Du stießest mich mit Füßen von dir.
Der Graf vom Strahl.   5
    Mit Füßen? Nein! Das tu ich keinem Hund.
    Warum? Weshalb? Was hattst du mir getan?
Käthchen. Weil ich dem Vater, der voll Huld und Güte,
    Gekommen war, mit Pferden, mich zu holen,
    Den Rücken, voller Schrecken, wendete,   10
    Und mit der Bitte, mich vor ihm zu schützen,
    Im Staub vor dir bewußtlos nieder sank.
Der Graf vom Strahl.
    Da hätt ich dich mit Füßen weggestoßen?
Käthchen. Ja, mein verehrter Herr.   15
Der Graf vom Strahl.   Ei, Possen, was!
    Das war nur Schelmerei, des Vaters wegen.
    Du bliebst doch nach wie vor im Schloß zu Strahl.
Käthchen. Nein, mein verehrter Herr.
Der Graf vom Strahl.   Nicht? Wo auch sonst?   20
Käthchen. Als du die Peitsche, flammenden Gesichts,
    Herab vom Riegel nahmst, ging ich hinaus,
    Vor das bemooste Tor, und lagerte
    Mich draußen, am zerfallnen Mauernring
    Wo in süßduftenden Holunderbüschen   25
    Ein Zeisig zwitschernd sich das Nest gebaut.
Der Graf vom Strahl.
    Hier aber jagt ich dich mit Hunden weg?
Käthchen. Nein, mein verehrter Herr.
Der Graf vom Strahl.   Und als du wichst,   30
    Verfolgt vom Hundgeklaff, von meiner Grenze,
    Rief ich den Nachbar auf, dich zu verfolgen?
Käthchen.
    Nein, mein verehrter Herr! Was sprichst du da?
Der Graf vom Strahl.   35
    Nicht? Nicht? – Das werden diese Herren tadeln.
Käthchen. Du kümmerst dich um diese Herren nicht.
    Du sandtest Gottschalk mir am dritten Tage,
    Daß er mir sag: dein liebes Käthchen wär ich;
    Vernünftig aber möcht ich sein, und gehn.   40

Der Graf vom Strahl.
       Und was entgegnetest du dem?
Käthchen.   Ich sagte,
       Den Zeisig littest du, den zwitschernden,
       In den süßduftenden Holunderbüschen:
       Möchtst denn das Käthchen von Heilbronn auch leiden.
Der Graf vom Strahl *(erhebt das Käthchen).*
       Nun dann, so nehmt sie hin, ihr Herrn der Vehme,
       Und macht mit ihr und mir jetzt, was ihr wollt.
                          (Pause.)
Graf Otto *(unwillig).*
       Der aberwitzge Träumer, unbekannt
       Mit dem gemeinen Zauber der Natur! –
       Wenn euer Urteil reif, wie meins, ihr Herrn,
       Geh ich zum Schluß, und laß die Stimmen sammeln.
Wenzel.
       Zum Schluß!
Hans.   Die Stimmen!
Alle.   Sammelt sie!
Ein Richter.   Der Narr, der!
       Der Fall ist klar. Es ist hier nichts zu richten.
Graf Otto.
       Vehmherold, nimm den Helm und sammle sie.
(Vehmherold sammelt die Kugeln und bringt den Helm,
            worin sie liegen, dem Grafen.)
Graf Otto *(steht auf).*
       Herr Friedrich Wetter Graf vom Strahl, du bist
       Einstimmig von der Vehme losgesprochen,
       Und dir dort, Theobald, dir geb ich auf,
       Nicht fürder mit der Klage zu erscheinen,
       Bis du kannst bessere Beweise bringen.
                   (Zu den Richtern.)
       Steht auf, ihr Herrn! die Sitzung ist geschlossen.
                   (Die Richter erheben sich.)
Theobald.
       Ihr hochverehrten Herrn, ihr sprecht ihn schuldlos?
       Gott sagt ihr, hat die Welt aus nichts gemacht;
       Und er, der sie durch nichts und wieder nichts
       Vernichtet, in das erste Chaos stürzt,
       Der sollte nicht der leidge Satan sein?

Graf Otto.
> Schweig, alter, grauer Tor! Wir sind nicht da,
> Dir die verrückten Sinnen einzurenken.
> Vehmhäscher, an dein Amt! Blend ihm die Augen,
> Und führ ihn wieder auf das Feld hinaus.

Theobald.
> Was! Auf das Feld? Mich hilflos greisen Alten?
> Und dies mein einzig liebes Kind, –?

Graf Otto.   Herr Graf,
> Das überläßt die Vehme Euch! Ihr zeigtet
> Von der Gewalt, die Ihr hier übt, so manche
> Besondre Probe uns; laßt uns noch eine,
> Die größeste, bevor wir scheiden, sehn,
> Und gebt sie ihrem alten Vater wieder.

Der Graf vom Strahl.
> Ihr Herren, was ich tun kann, soll geschehn. –
> Jungfrau!

Käthchen.   Mein hoher Herr!

Der Graf vom Strahl.   Du liebst mich?

Käthchen.   Herzlich!

Der Graf vom Strahl. So tu mir was zu Lieb.

Käthchen.   Was willst du? Sprich.

Der Graf vom Strahl.
> Verfolg mich nicht. Geh nach Heilbronn zurück.
> – Willst du das tun?

Käthchen.   Ich hab es dir versprochen.
> *(Sie fällt in Ohnmacht.)*

Theobald *(empfängt sie).*
> Mein Kind! Mein Einziges! Hilf, Gott im Himmel!

Der Graf vom Strahl *(wendet sich).*
> Dein Tuch her, Häscher! *(Er verbindet sich die Augen.)*

Theobald.   O verflucht sei,
> Mordschaunder Basiliskengeist! Mußt ich
> Auch diese Probe deiner Kunst noch sehn?

Graf Otto *(vom Richtstuhl herabsteigend).*
> Was ist geschehn, ihr Herrn?

Wenzel.   Sie sank zu Boden.
>   *(Sie betrachten sie.)*

Der Graf vom Strahl *(zu den Häschern).*
> Führt mich hinweg!

Theobald.   Der Hölle zu, du Satan!
    Laß ihre schlangenhaargen Pförtner dich
    An ihrem Eingang, Zauberer, ergreifen,
    Und dich zehntausend Klafter tiefer noch,
5   Als ihre wildsten Flammen lodern, schleudern!
Graf Otto.
    Schweig Alter, schweig!
Theobald *(weint).*   Mein Kind! Mein Käthchen!
Käthchen.   Ach!
10 Wenzel *(freudig).*
    Sie schlägt die Augen auf!
Hans.   Sie wird sich fassen.
Graf Otto.
    Bringt in des Pförtners Wohnung sie! Hinweg!
15   *(Alle ab.)*

ZWEITER AKT

Szene: Wald vor der Höhle des heimlichen Gerichts.

ERSTER AUFTRITT

Der Graf vom Strahl *(tritt auf, mit verbundenen
Augen, geführt von zwei Häschern, die ihm die Augen
aufbinden, und alsdann in die Höhle zurückkehren – Er
wirft sich auf den Boden nieder und weint).* Nun will ich
hier, wie ein Schäfer liegen und klagen. Die Sonne scheint
noch rötlich durch die Stämme, auf welchen die Wipfel
des Waldes ruhn; und wenn ich, nach einer kurzen Viertel-
stunde, sobald sie hinter den Hügel gesunken ist, aufsitze, 10
und mich im Blachfelde, wo der Weg eben ist, ein wenig
daran halte, so komme ich noch nach Schloß Wetterstrahl,
ehe die Lichter darin erloschen sind. Ich will mir einbilden,
meine Pferde dort unten, wo die Quelle rieselt, wären 15
Schafe und Ziegen, die an dem Felsen kletterten, und an
Gräsern und bittern Gesträuchen rissen; ein leichtes wei-
ßes linnenes Zeug bedeckte mich, mit roten Bändern zu-
sammengebunden, und um mich her flatterte eine Schar
muntrer Winde, um die Seufzer, die meiner, von Gram 20
sehr gepreßten, Brust entquillen, gradaus zu der guten
Götter Ohr empor zu tragen. Wirklich und wahrhaftig!
Ich will meine Muttersprache durchblättern, und das
ganze, reiche Kapitel, das diese Überschrift führt: Empfindung, dergestalt plündern, daß kein Reimschmied 25
mehr, auf eine neue Art, soll sagen können: ich bin be-
trübt. Alles, was die Wehmut Rührendes hat, will ich auf-
bieten, Lust und in den Tod gehende Betrübnis sollen sich
abwechseln, und meine Stimme, wie einen schönen Tänzer,
durch alle Beugungen hindurch führen, die die Seele be- 30
zaubern; und wenn die Bäume nicht in der Tat bewegt
werden, und ihren milden Tau, als ob es geregnet hätte,
herabträufeln lassen, so sind sie von Holz, und alles, was
uns die Dichter von ihnen sagen, ein bloßes liebliches Mär-

chen. O du – – – wie nenn ich dich? Käthchen! Warum
kann ich dich nicht mein nennen? Käthchen, Mädchen,
Käthchen! Warum kann ich dich nicht mein nennen? Warum kann ich dich nicht aufheben, und in das duftende
Himmelbett tragen, das mir die Mutter, daheim im
Prunkgemach, aufgerichtet hat? Käthchen, Käthchen,
Käthchen! Du, deren junge Seele, als sie heut nackt vor
mir stand, von wollüstiger Schönheit gänzlich triefte, wie
die mit Ölen gesalbte Braut eines Perserkönigs, wenn sie,
auf alle Teppiche niederregnend, in sein Gemach geführt
wird! Käthchen, Mädchen, Käthchen! Warum kann ich es
nicht? Du Schönere, als ich singen kann, ich will eine
eigene Kunst erfinden, und dich weinen. Alle Phiolen der
Empfindung, himmlische und irdische, will ich eröffnen,
und eine solche Mischung von Tränen, einen Erguß so
eigentümlicher Art, so heilig zugleich und üppig, zu-
sammenschütten, daß jeder Mensch gleich, an dessen Hals
ich sie weine, sagen soll: sie fließen dem Käthchen von
Heilbronn! – – – Ihr grauen, bärtigen Alten, was wollt
ihr? Warum verlaßt ihr eure goldnen Rahmen, ihr Bilder
meiner geharnischten Väter, die meinen Rüstsaal bevöl-
kern, und tretet, in unruhiger Versammlung, hier um mich
herum, eure ehrwürdigen Locken schüttelnd? Nein, nein,
nein! Zum Weibe, wenn ich sie gleich liebe, begehr ich sie
nicht; eurem stolzen Reigen will ich mich anschließen: das
war beschloßne Sache, noch eh ihr kamt. Dich aber, Winfried, der ihn führt, du Erster meines Namens, Göttlicher
mit der Scheitel des Zeus, dich frag ich, ob die Mutter
meines Geschlechts war, wie diese: von jeder frommen Tugend strahlender, makelloser an Leib und Seele, mit jedem
Liebreiz geschmückter, als sie? O Winfried! Grauer Alter!
Ich küsse dir die Hand, und danke dir, daß ich bin; doch
hättest du *sie* an die stählerne Brust gedrückt, du hättest
ein Geschlecht von Königen erzeugt, und Wetter vom
Strahl hieße jedes Gebot auf Erden! Ich weiß, daß ich mich
fassen und diese Wunde vernarben werde: denn welche
Wunde vernarbte nicht der Mensch? Doch wenn ich jemals
ein Weib finde, Käthchen, dir gleich: so will ich die Län-
der durchreisen, und die Sprachen der Welt lernen, und
Gott preisen in jeder Zunge, die geredet wird. – Gottschalk!

ZWEITER AUFTRITT

Gottschalk. Der Graf vom Strahl.

G o t t s c h a l k *(draußen).* Heda! Herr Graf vom Strahl!
D e r G r a f v o m S t r a h l. Was gibts?
G o t t s c h a l k. Was zum Henker! – – Ein Bote ist an-
gekommen von Eurer Mutter.
D e r G r a f v o m S t r a h l. Ein Bote?
G o t t s c h a l k. Gestreckten Laufs, keuchend, mit ver-
hängtem Zügel; mein Seel, wenn Euer Schloß ein eiserner
Bogen und er ein Pfeil gewesen wäre, er hätte nicht
rascher herangeschossen werden können.
D e r G r a f v o m S t r a h l. Was hat er mir zu sagen?
G o t t s c h a l k. He! Ritter Franz!

DRITTER AUFTRITT

Ritter Flammberg tritt auf. Die Vorigen.

D e r G r a f v o m S t r a h l. Flammberg! – Was führt
dich so eilig zu mir her?
F l a m m b e r g. Gnädigster Herr! Eurer Mutter, der Gräfin, Gebot; sie befahl mir den besten Renner zu nehmen,
und Euch entgegen zu reiten!
D e r G r a f v o m S t r a h l. Nun? Und was bringst du
mir?
F l a m m b e r g. Krieg, bei meinem Eid, Krieg! Ein Auf-
gebot zu neuer Fehde, warm, wie sie es eben von des
Herolds Lippen empfangen hat.
D e r G r a f v o m S t r a h l *(betreten).* Wessen? – Doch
nicht des Burggrafen, mit dem ich eben den Frieden ab-
schloß? *(Er setzt sich den Helm auf.)*
F l a m m b e r g. Des Rheingrafen, des Junkers vom Stein,
der unten am weinumblühten Neckar seinen Sitz hat.
D e r G r a f v o m S t r a h l. Des Rheingrafen! – Was
hab ich mit dem Rheingrafen zu schaffen, Flammberg?
F l a m m b e r g. Mein Seel! Was hattet Ihr mit dem Burggrafen zu schaffen? Und was wollte so mancher andere
von Euch, ehe Ihr mit dem Burggrafen zu schaffen krieg-
tet? Wenn Ihr den kleinen griechischen Feuerfunken nicht

austretet, der diese Kriege veranlaßt, so sollt Ihr noch
das ganze Schwabengebirge wider Euch auflodern sehen,
und die Alpen und den Hundsrück obenein.

Der Graf vom Strahl. Es ist nicht möglich! Fräulein Kunigunde –

Flammberg. Der Rheingraf fordert, im Namen Fräulein Kunigundens von Thurneck, den Wiederkauf Eurer
Herrschaft Stauffen; jener drei Städtlein und siebzehn
Dörfer und Vorwerker, Eurem Vorfahren Otto, von
Peter, dem ihrigen, unter der besagten Klausel, käuflich
abgetreten; grade so, wie dies der Burggraf von Freiburg,
und, in früheren Zeiten schon ihre Vettern, in ihrem Namen getan haben.

Der Graf vom Strahl *(steht auf)*. Die rasende
Megäre! Ist das nicht der dritte Reichsritter, der sie mir,
einem Hund gleich, auf den Hals hetzt, um mir diese
Landschaft abzujagen! Ich glaube, das ganze Reich frißt
ihr aus der Hand. Kleopatra fand einen, und als der sich
den Kopf zerschellt hatte, schauten die anderen; doch ihr
dient alles, was eine Ribbe weniger hat, als sie, und für jeden einzelnen, den ich ihr zerzaust zurücksende, stehen zehn
andere wider mich auf. – Was führt' er für Gründe an?

Flammberg. Wer? Der Herold?

Der Graf vom Strahl. Was führt' er für Gründe
an?

Flammberg. Ei, gestrenger Herr, da hätt er ja rot werden müssen.

Der Graf vom Strahl. Er sprach von Peter von
Thurneck – nicht? Und von der Landschaft ungültigem
Verkauf?

Flammberg. Allerdings. Und von den schwäbischen Gesetzen; mischte Pflicht und Gewissen, bei jedem dritten
Wort, in die Rede, und rief Gott zum Zeugen an, daß
nichts als die reinsten Absichten seinen Herrn, den Rheingrafen, vermöchten, des Fräuleins Sache zu ergreifen.

Der Graf vom Strahl. Aber die roten Wangen der
Dame behielt er für sich?

Flammberg. Davon hat er kein Wort gesagt.

Der Graf vom Strahl. Daß sie die Pocken kriegte!
Ich wollte, ich könnte den Nachttau in Eimern auffassen,

und über ihren weißen Hals ausgießen! Ihr kleines ver-
wünschtes Gesicht ist der letzte Grund aller dieser Kriege
wider mich; und so lange ich den Märzschnee nicht ver-
giften kann, mit welchem sie sich wäscht, hab ich auch vor
den Rittern des Landes keine Ruhe. Aber Geduld nur! –
Wo hält sie sich jetzt auf?

Flammberg. Auf der Burg zum Stein, wo ihr schon seit
drei Tagen Prunkgelage gefeiert werden, daß die Feste
des Himmels erkracht, und Sonne, Mond und Sterne nicht
mehr angesehen werden. Der Burggraf, den sie verabschie-
det hat, soll Rache kochen, und wenn Ihr einen Boten an
ihn absendet, so zweifl' ich nicht, er zieht mit Euch gegen
den Rheingrafen zu Felde.

Der Graf vom Strahl. Wohlan! Führt mir die
Pferde vor, ich will reiten. – Ich habe dieser jungen Auf-
wieglerin versprochen, wenn sie die Waffen ihres kleinen
schelmischen Angesichts nicht ruhen ließe wider mich, so
würd ich ihr einen Possen zu spielen wissen, daß sie es
ewig in einer Scheide tragen sollte; und so wahr ich diese
Rechte aufhebe, ich halte Wort! – Folgt mir, meine
Freunde!

(Alle ab.)

Szene: Köhlerhütte im Gebirg. Nacht, Donner und Blitz.

VIERTER AUFTRITT

*Burggraf von Freiburg und Georg von Waldstätten treten
auf.*

Freiburg *(in die Szene rufend)*. Hebt sie vom Pferd
herunter! – *(Blitz und Donnerschlag.)* – Ei, so schlag ein
wo du willst; nur nicht auf die Scheitel, belegt mit Kreide,
meiner lieben Braut, der Kunigunde von Thurneck!

Eine Stimme *(außerhalb)*. He! Wo seid Ihr?

Freiburg. Hier!

Georg. Habt Ihr jemals eine solche Nacht erlebt?

Freiburg. Das gießt vom Himmel herab, Wipfel und
Bergspitzen ersäufend, als ob eine zweite Sündflut heran-
bräche. – Hebt sie vom Pferd herunter!

Eine Stimme *(außerhalb)*. Sie rührt sich nicht.

Eine andere. Sie liegt, wie tot, zu des Pferdes Füßen da.

Freiburg. Ei, Possen! Das tut sie bloß, um ihre falschen Zähne nicht zu verlieren. Sagt ihr, ich wäre der Burggraf von Freiburg und die echten, die sie im Mund hätte, hätte ich gezählt. – So! bringt sie her.

(Ritter Schauermann erscheint, das Fräulein von Thurneck auf der Schulter tragend.)

Georg. Dort ist eine Köhlerhütte.

FÜNFTER AUFTRITT

Ritter Schauermann mit dem Fräulein, Ritter Wetzlaf und die Reisigen des Burggrafen. Zwei Köhler. Die Vorigen.

Freiburg *(an die Köhlerhütte klopfend)*. Heda!

Der erste Köhler *(drinnen)*. Wer klopfet?

Freiburg. Frag nicht, du Schlingel, und mach auf.

Der zweite Köhler *(ebenso)*. Holla! Nicht eher bis ich den Schlüssel umgekehrt habe. Wird doch der Kaiser nicht vor der Tür sein?

Freiburg. Halunke! Wenn nicht der, doch einer, der hier regiert, und den Szepter gleich vom Ast brechen wird, ums dir zu zeigen.

Der erste Köhler *(auftretend, eine Laterne in der Hand)*. Wer seid ihr? Was wollt ihr?

Freiburg. Ein Rittersmann bin ich; und diese Dame, die hier todkrank herangetragen wird, das ist –

Schauermann *(von hinten)*. Das Licht weg!

Wetzlaf. Schmeißt ihm die Laterne aus der Hand!

Freiburg *(indem er ihm die Laterne wegnimmt)*. Spitzbube! Du willst hier leuchten?

Der erste Köhler. Ihr Herren, ich will hoffen, der größeste unter euch bin ich! Warum nehmt ihr mir die Laterne weg?

Der zweite Köhler. Wer seid ihr? Und was wollt ihr?

Freiburg. Rittersleute, du Flegel, hab ich dir schon gesagt!

G e o r g. Wir sind reisende Ritter, ihr guten Leute, die das Unwetter überrascht hat.

F r e i b u r g *(unterbricht ihn).* Kriegsmänner, die von Jerusalem kommen, und in ihre Heimat ziehen; und jene Dame dort, die herangetragen wird, von Kopf zu Fuß in einem Mantel eingewickelt, das ist –

(Ein Gewitterschlag.)

D e r e r s t e K ö h l e r. Ei, so plärr du, daß die Wolken reißen! – Von Jerusalem, sagt ihr?

D e r z w e i t e K ö h l e r. Man kann vor dem breitmäuligen Donner kein Wort verstehen.

F r e i b u r g. Von Jerusalem, ja.

D e r z w e i t e K ö h l e r. Und das Weibsen, das herangetragen wird –?

G e o r g *(auf den Burggrafen zeigend).* Das ist des Herren kranke Schwester, ihr ehrlichen Leute, und begehrt –

F r e i b u r g *(unterbricht ihn).* Das ist jenes Schwester, du Schuft, und meine Gemahlin; todkrank; wie du siehst, von Schloßen und Hagel halb erschlagen, so daß sie kein Wort vorbringen kann: die begehrt eines Platzes in deiner Hütte, bis das Ungewitter vorüber und der Tag angebrochen ist.

D e r e r s t e K ö h l e r. Die begehrt einen Platz in meiner Hütte?

G e o r g. Ja, ihr guten Köhler; bis das Gewitter vorüber ist, und wir unsre Reise fortsetzen können.

D e r z w e i t e K ö h l e r. Mein Seel, da habt ihr Worte gesagt, die waren den Lungenodem nicht wert, womit ihr sie ausgestoßen.

D e r e r s t e K ö h l e r. Isaak!

F r e i b u r g. Du willst das tun?

D e r z w e i t e K ö h l e r. Des Kaisers Hunden, ihr Herrn, wenn sie vor meiner Tür darum heulten. – Isaak! Schlingel! hörst nicht?

J u n g e *(in der Hütte).* He! sag ich. Was gibts?

D e r z w e i t e K ö h l e r. Das Stroh schüttle auf, Schlingel, und die Decken drüberhin; ein krank Weibsen wird kommen und Platz nehmen, in der Hütten! Hörst du?

F r e i b u r g. Wer spricht drin?

Der erste Köhler. Ei, ein Flachskopf von zehn Jahren, der uns an die Hand geht.

Freiburg. Gut. – Tritt heran, Schauermann! hier ist ein Knebel losgegangen.

Schauermann. Wo?

Freiburg. Gleichviel! – In den Winkel mit ihr hin, dort! – – Wenn der Tag anbricht, werd ich dich rufen.

(Schauermann trägt das Fräulein in die Hütte.)

SECHSTER AUFTRITT

Die Vorigen ohne Schauermann und das Fräulein.

Freiburg. Nun, Georg, alle Saiten des Jubels schlag ich an: wir *haben* sie; wir *haben* diese Kunigunde von Thurneck! So wahr ich nach meinem Vater getauft bin, nicht um den ganzen Himmel, um den meine Jugend gebetet hat, geb ich die Lust weg, die mir beschert ist, wenn der morgende Tag anbricht! –. Warum kamst du nicht früher von Waldstätten herab?

Georg. Weil du mich nicht früher rufen ließest.

Freiburg. O, Georg! Du hättest sie sehen sollen, wie sie daher geritten kam, einer Fabel gleich, von den Rittern des Landes umringt, gleich einer Sonne, unter ihren Planeten! Wars nicht, als ob sie zu den Kieseln sagte, die unter ihr Funken sprühten: ihr müßt mir schmelzen, wenn ihr mich seht? Thalestris, die Königin der Amazonen, als sie herabzog vom Kaukasus, Alexander den Großen zu bitten, daß er sie küsse: sie war nicht reizender und göttlicher, als sie.

Georg. Wo fingst du sie?

Freiburg. Fünf Stunden, Georg, fünf Stunden von der Steinburg, wo ihr der Rheingraf, durch drei Tage, schallende Jubelfeste gefeiert hatte. Die Ritter, die sie begleiteten, hatten sie kaum verlassen, da werf ich ihren Vetter Isidor, der bei ihr geblieben war, in den Sand, und auf den Rappen mit ihr, und auf und davon.

Georg. Aber, Max! Max! Was hast du –?

Freiburg. Ich will dir sagen, Freund –

G e o r g. Was bereitest du dir, mit allen diesen ungeheuren Anstalten, vor?

F r e i b u r g. Lieber! Guter! Wunderlicher! Honig von Hybla, für diese vom Durst der Rache zu Holz vertrocknete Brust. Warum soll dies wesenlose Bild länger, einer olympischen Göttin gleich, auf dem Fußgestell prangen, die Hallen der christlichen Kirchen von uns und unsersgleichen entvölkernd? Lieber angefaßt, und auf den Schutt hinaus, das Oberste zu unterst, damit mit Augen erschaut wird, daß kein Gott in ihm wohnt.

G e o r g. Aber in aller Welt, sag mir, was ists, das dich mit so rasendem Haß gegen sie erfüllt?

F r e i b u r g. O Georg! Der Mensch wirft alles, was er sein nennt, in eine Pfütze, aber kein Gefühl. Georg, ich liebte sie, und sie war dessen nicht wert. Ich liebte sie und ward verschmäht, Georg; und sie war meiner Liebe nicht wert. Ich will dir was sagen – Aber es macht mich blaß, wenn ich daran denke. Georg! Georg! Wenn die Teufel um eine Erfindung verlegen sind: so müssen sie einen Hahn fragen der sich vergebens um eine Henne gedreht hat, und hinterher sieht, daß sie, vom Aussatz zerfressen, zu seinem Spaße nicht taugt.

G e o r g. Du wirst keine unritterliche Rache an ihr ausüben?

F r e i b u r g. Nein; Gott behüt mich! Keinem Knecht mut ich zu, sie an ihr zu vollziehn. – Ich bringe sie nach der Steinburg zum Rheingrafen zurück, wo ich nichts tun will, als ihr das Halstuch abnehmen: das soll meine ganze Rache sein!

G e o r g. Was! Das Halstuch abnehmen?

F r e i b u r g. Ja Georg; und das Volk zusammen rufen.

G e o r g. Nun, und wenn das geschehn ist, da willst du –?

F r e i b u r g. Ei, da will ich über sie philosophieren. Da will ich euch einen metaphysischen Satz über sie geben, wie Platon, und meinen Satz nachher erläutern, wie der lustige Diogenes getan. Der Mensch ist – – Aber still: *(Er horcht.)*

G e o r g. Nun! der Mensch ist? –

F r e i b u r g. Der Mensch ist, nach Platon, ein zweibeinigtes ungefiedertes Tier; du weißt, wie Diogenes dies bewiesen;

einen Hahn, glaub ich, rupft' er, und warf ihn unter das
Volk. – Und diese Kunigunde, Freund, diese Kunigunde
von Thurneck, die ist nach mir – – – Aber still! So wahr
ich ein Mann bin: dort steigt jemand vom Pferd!

⁵   SIEBENTER AUFTRITT

Der Graf vom Strahl und Ritter Flammberg treten auf.
Nachher Gottschalk. – Die Vorigen.

Der Graf vom Strahl *(an die Hütte klopfend).*
  Heda! Ihr wackern Köhlersleute!
Flammberg. Das ist eine Nacht, die Wölfe in den
  Klüften um ein Unterkommen anzusprechen.
Der Graf vom Strahl. Ists erlaubt, einzutreten?
Freiburg *(ihm in den Weg).* Erlaubt, ihr Herrn! Wer
  ihr auch sein mögt dort –
Georg. Ihr könnt hier nicht einkehren.
Der Graf vom Strahl. Nicht? Warum nicht?
Freiburg. Weil kein Raum drin ist, weder für euch noch
  für uns. Meine Frau liegt darin todkrank, den einzigen
  Winkel der leer ist mit ihrer Bedienung erfüllend: ihr
  werdet sie nicht daraus vertreiben wollen.
Der Graf vom Strahl. Nein, bei meinem Eid! Viel-
  mehr wünsche ich, daß sie sich bald darin erholen möge.
  – Gottschalk!
Flammberg. So müssen wir beim Gastwirt zum blauen
  Himmel übernachten.
Der Graf vom Strahl. Gottschalk sag ich!
Gottschalk *(draußen).* Hier!
Der Graf vom Strahl. Schaff die Decken her! Wir
  wollen uns hier ein Lager bereiten, unter den Zweigen.
      (Gottschalk und der Köhlerjunge treten auf.)
Gottschalk *(indem er ihnen die Decken bringt).* Das
  weiß der Teufel, was das hier für eine Wirtschaft ist. Der
  Junge sagt, drinnen wäre ein geharnischter Mann, der ein
  Fräulein bewachte: das läge geknebelt und mit verstopf-
  tem Munde da, wie ein Kalb, das man zur Schlachtbank
  bringen will.
Der Graf vom Strahl. Was sagst du? Ein Fräulein?

Geknebelt und mit verstopftem Munde? – Wer hat dir
das gesagt?

F l a m m b e r g. Jung! Woher weißt du das?

K ö h l e r j u n g e *(erschrocken).* St! – Um aller Heiligen
willen! Ihr Herren, was macht ihr?

D e r G r a f v o m S t r a h l. Komm her.

K ö h l e r j u n g e. Ich sage: St!

F l a m m b e r g. Jung! Wer hat dir das gesagt? So sprich.

K ö h l e r j u n g e *(heimlich nachdem er sich umgesehen).*
Habs geschaut, ihr Herren. Lag auf dem Stroh, als sie sie
hineintrugen, und sprachen, sie sei krank. Kehrt ihr die
Lampe zu und erschaut, daß sie gesund war, und Wangen
hatt als wie unsre Lore. Und wimmert' und druckt' mir
die Händ und blinzelte, und sprach so vernehmlich, wie
ein kluger Hund: mach mich los, lieb Bübel, mach mich
los! daß ichs mit Augen hört und mit den Fingern verstand.

D e r G r a f v o m S t r a h l. Jung, du flachsköpfiger; so
tus!

F l a m m b e r g. Was säumst du? Was machst du?

D e r G r a f v o m S t r a h l. Bind sie los und schick sie
her!

K ö h l e r j u n g e *(schüchtern).* St! sag ich. – Ich wollt, daß
ihr zu Fischen würdet! – Da erheben sich ihrer drei schon
und kommen her, und sehen, was es gibt? *(Er bläst seine
Laterne aus.)*

D e r G r a f v o m S t r a h l. Nichts, du wackrer Junge,
nichts.

F l a m m b e r g. Sie haben nichts davon gehört.

D e r G r a f v o m S t r a h l. Sie wechseln bloß um des
Regens willen ihre Plätze.

K ö h l e r j u n g e *(sieht sich um).* Wollt ihr mich schützen?

D e r G r a f v o m S t r a h l. Ja, so wahr ich ein Ritter
bin; das will ich.

F l a m m b e r g. Darauf kannst du dich verlassen.

K ö h l e r j u n g e. Wohlan! Ich wills dem Vater sagen. –
Schaut was ich tue, und ob ich in die Hütte gehe, oder
nicht? *(Er spricht mit den Alten, die hinten am Feuer stehen, und verliert sich nachher in die Hütte.)*

F l a m m b e r g. Sind das solche Kauze? Beelzebubs-Ritter,

deren Ordensmantel die Nacht ist? Eheleute, auf der
Landstraße mit Stricken und Banden an einander getraut?
Der Graf vom Strahl. Krank, sagten sie!
Flammberg. Todkrank, und dankten für alle Hülfe!
5 Gottschalk. Nun wart! Wir wollen sie scheiden.
              (Pause.)
Schauermann *(in der Hütte).* He! holla! Die Bestie!
Der Graf vom Strahl. Auf, Flammberg; erhebe
dich!
10   *(Sie stehen auf.)*
Freiburg. Was gibts?
              (Die Partei des Burggrafen erhebt sich.)
Schauermann. Ich bin angebunden! Ich bin angebun-
den!
15   *(Das Fräulein erscheint.)*
Freiburg. Ihr Götter! Was erblick ich?

ACHTER AUFTRITT

Fräulein Kunigunde von Thurneck im Reisekleide, mit ent-
fesselten Haaren. – Die Vorigen.

20 Kunigunde *(wirft sich vor dem Grafen vom Strahl*
    nieder). Mein Retter! Wer Ihr immer seid! Nehmt einer
       Vielfach geschmähten und geschändeten
       Jungfrau Euch an! Wenn Euer ritterlicher Eid
       Den Schutz der Unschuld Euch empfiehlt: hier liegt sie
25   In Staub gestreckt, die jetzt ihn von Euch fordert!
Freiburg. Reißt sie hinweg, ihr Männer!
Georg *(ihn zurückhaltend).*   Max! hör mich an.
Freiburg. Reißt sie hinweg, sag ich; laßt sie nicht reden!
Der Graf vom Strahl.
30   Halt dort ihr Herrn! Was wollt ihr!
Freiburg.   Was wir wollen?
       Mein Weib will ich, zum Henker! – Auf! ergreift sie!
Kunigunde. Dein Weib? Du Lügnerherz!
Der Graf vom Strahl *(streng).*   Berühr sie nicht!
35   Wenn du von dieser Dame was verlangst,
       So sagst dus mir! Denn mir gehört sie jetzt,
       Weil sie sich meinem Schutze anvertraut. *(Er erhebt sie.)*

F r e i b u r g. Wer bist du, Übermütiger, daß du
    Dich zwischen zwei Vermählte drängst? Wer gibt
    Das Recht dir, mir die Gattin zu verweigern?
K u n i g u n d e. Die Gattin? Bösewicht! Das bin ich nicht!
D e r G r a f v o m S t r a h l.   5
    Und wer bist du, Nichtswürdiger, daß du
    Sie deine Gattin sagst, verfluchter Bube,
    Daß du sie dein nennst, geiler Mädchenräuber,
    Die Jungfrau, dir vom Teufel in der Hölle,
    Mit Knebeln und mit Banden angetraut?   10
F r e i b u r g.
    Wie? Was? Wer?
G e o r g.   Max, ich bitte dich.
D e r G r a f v o m S t r a h l.   Wer bist du?
F r e i b u r g. Ihr Herrn, ihr irrt euch sehr –   15
D e r G r a f v o m S t r a h l.   Wer bist du, frag ich?
F r e i b u r g. Ihr Herren, wenn ihr glaubt, daß ich –
D e r G r a f v o m S t r a h l.   Schafft Licht her!
F r e i b u r g. Dies Weib hier, das ich mitgebracht, das ist –
D e r G r a f v o m S t r a h l.   20
    Ich sage Licht herbeigeschafft!
(Gottschalk und die Köhler kommen mit Fackeln und
Feuerhaken.)
F r e i b u r g.   Ich bin –
G e o r g *(heimlich).*   25
    Ein Rasender bist du! Fort! Gleich hinweg!
    Willst du auf ewig nicht dein Wappen schänden.
D e r G r a f v o m S t r a h l.
    So, meine wackern Köhler; leuchtet mir!
        (Freiburg schließt sein Visier.)   30
D e r G r a f v o m S t r a h l.
    Wer bist du jetzt, frag ich? Öffn' das Visier.
F r e i b u r g. Ihr Herrn, ich bin –
D e r G r a f v o m S t r a h l.   Öffn' das Visier.
F r e i b u r g.   Ihr hört. 35
D e r G r a f v o m S t r a h l.
    Meinst du, leichtfertger Bube, ungestraft
    Die Antwort *mir* zu weigern, wie ich dir?
    (Er reißt ihm den Helm vom Haupt, der Burggraf
    taumelt.)   40

S c h a u e r m a n n.
>Schmeißt den Verwegenen doch gleich zu Boden!

W e t z l a f. Auf! Zieht!

F r e i b u r g.   Du Rasender, welch eine Tat!
*(Er erhebt sich, zieht und haut nach dem Grafen; der
weicht aus.)*

D e r G r a f v o m S t r a h l.
>Du wehrst dich mir, du Afterbräutigam?
(Er haut ihn nieder.)
>So fahr zur Hölle hin, woher du kamst,
>Und feire deine Flitterwochen drin!

W e t z l a f. Entsetzen! Schaut! Er stürzt, er wankt, er fällt!

F l a m m b e r g *(dringt vor).*
>Auf jetzt, ihr Freunde!

S c h a u e r m a n n.   Fort! Entflieht!

F l a m m b e r g.   Schlagt drein!
>Jagt das Gesindel völlig in die Flucht!
*(Die Burggräflichen entweichen; niemand bleibt als Georg,
der über den Burggrafen beschäftigt ist.)*

D e r G r a f v o m S t r a h l *(zum Burggrafen).*
>Freiburg! Was seh ich? Ihr allmächtgen Götter!
>Du bists?

K u n i g u n d e *(unterdrückt).*
>   Der undankbare Höllenfuchs!

D e r G r a f v o m S t r a h l.
>Was galt dir diese Jungfrau, du Unsel'ger?
>Was wolltest du mit ihr?

G e o r g.   – Er kann nicht reden.
>Blut füllt, vom Scheitel quellend, ihm den Mund.

K u n i g u n d e. Laßt ihn ersticken drin!

D e r G r a f v o m S t r a h l.   Ein Traum erscheint mirs!
>Ein Mensch wie der, so wacker sonst, und gut.
>– Kommt ihm zu Hülf, ihr Leute!

F l a m m b e r g.   Auf! Greift an!
>Und tragt ihn dort in jener Hütte Raum.

K u n i g u n d e.
>Ins Grab! Die Schaufeln her! Er sei gewesen!

D e r G r a f v o m S t r a h l.
>Beruhigt Euch! – Wie er darnieder liegt,
>Wird er auch unbeerdigt Euch nicht schaden.

K u n i g u n d e. Ich bitt um Wasser!
D e r G r a f v o m S t r a h l. Fühlt Ihr Euch nicht wohl?
K u n i g u n d e.
    Nichts, nichts – Es ist – Wer hilft? – Ist hier kein Sitz?
    – Weh mir! *(Sie wankt.)*   5
D e r G r a f v o m S t r a h l.
              Ihr Himmlischen! He! Gottschalk! hilf!
G o t t s c h a l k. Die Fackeln her!
K u n i g u n d e.   Laßt, laßt!
D e r G r a f v o m S t r a h l *(hat sie auf einen Sitz ge-*   10
führt).   Es geht vorüber?
K u n i g u n d e.
    Das Licht kehrt meinen trüben Augen wieder. –
D e r G r a f v o m S t r a h l.
    Was wars, das so urplötzlich Euch ergriff?   15
K u n i g u n d e. Ach, mein großmütger Retter und Befreier,
    Wie nenn ich das? Welch ein entsetzensvoller,
    Unmenschlicher Frevel war mir zugedacht?
    Denk ich, was ohne Euch, vielleicht schon jetzt,
    Mir widerfuhr, hebt sich mein Haar empor,   20
    Und meiner Glieder jegliches erstarrt.
D e r G r a f v o m S t r a h l.
    Wer seid Ihr? Sprecht! Was ist Euch widerfahren?
K u n i g u n d e. O Seligkeit, Euch dies jetzt zu entdecken!
    Die Tat, die Euer Arm vollbracht, ist keiner   25
    Unwürdigen geschehen; Kunigunde,
    Freifrau von Thurneck, bin ich, daß Ihrs wißt;
    Das süße Leben, das Ihr mir erhieltet,
    Wird, außer mir, in Thurneck, dankbar noch
    Ein ganz Geschlecht Euch von Verwandten lohnen.   30
D e r G r a f v o m S t r a h l.
    Ihr seid? – Es ist nicht möglich? Kunigunde
    Von Thurneck? –
K u n i g u n d e.   Ja, so sagt ich! Was erstaunt Ihr?
D e r G r a f v o m S t r a h l *(steht auf).*   35
    Nun denn, bei meinem Eid, es tut mir leid,
    So kamt Ihr aus dem Regen in die Traufe:
    Denn ich bin Friedrich Wetter Graf vom Strahl!
K u n i g u n d e.
    Was! Euer Name? – Der Name meines Retters? –   40

D e r G r a f v o m S t r a h l.
>Ist Friedrich Strahl, Ihr hörts. Es tut mir leid,
>Daß ich Euch keinen bessern nennen kann.

K u n i g u n d e *(steht auf).*
5   Ihr Himmlischen! Wie prüft ihr dieses Herz?

G o t t s c h a l k *(heimlich).*
>Die Thurneck? hört ich recht?

F l a m m b e r g *(erstaunt).*   Bei Gott! Sie ists!
>*(Pause.)*

10 K u n i g u n d e. Es sei. Es soll mir das Gefühl, das hier
>In diesem Busen sich entflammt, nicht stören.
>Ich will nichts denken, fühlen will ich nichts,
>Als Unschuld, Ehre, Leben, Rettung – Schutz
>Vor diesem Wolf, der hier am Boden liegt. –
15   Komm her, du lieber, goldner Knabe, du,
>Der mich befreit, nimm diesen Ring von mir,
>Es ist jetzt alles, was ich geben kann:
>Einst lohn ich würdiger, du junger Held,
>Die Tat dir, die mein Band gelöst, die mutige,
20   Die mich vor Schmach bewahrt, die mich errettet,
>Die Tat, die mich zur Seligen gemacht!
>*(Sie wendet sich zum Grafen.)*
>Euch, mein Gebieter – Euer nenn ich alles,
>Was mein ist! Sprecht! Was habt Ihr über mich
25   beschlossen?
>In Eurer Macht bin ich; was muß geschehn?
>Muß ich nach Eurem Rittersitz Euch folgen?

D e r G r a f v o m S t r a h l *(nicht ohne Verlegenheit).*
>Mein Fräulein – es ist nicht eben allzuweit.
30   Wenn Ihr ein Pferd besteigt, so könnt Ihr bei
>Der Gräfin, meiner Mutter, übernachten.

K u n i g u n d e. Führt mir das Pferd vor!

D e r G r a f v o m S t r a h l *(nach einer Pause).*
>   Ihr vergebt mir,
35   Wenn die Verhältnisse, in welchen wir –

K u n i g u n d e.
>Nichts, nichts! Ich bitt Euch sehr! Beschämt mich nicht!
>In Eure Kerker klaglos würd ich wandern.

D e r G r a f v o m S t r a h l.
40   In meinen Kerker! Was! Ihr überzeugt Euch –

K u n i g u n d e *(unterbricht ihn).*
　　Drückt mich mit Eurer Großmut nicht zu Boden! –
　　Ich bitt um Eure Hand!
D e r G r a f v o m S t r a h l.　He! Fackeln! Leuchtet! *(Ab.)*

Szene: Schloß Wetterstrahl. Ein Gemach in der Burg.　5

NEUNTER AUFTRITT

Kunigunde, in einem halb vollendeten, romantischen An-
zuge, tritt auf, und setzt sich vor einer Toilette nieder.
　Hinter ihr Rosalie und die alte Brigitte.

R o s a l i e *(zu Brigitten).* Hier, Mütterchen, setz dich! Der　10
　　Graf vom Strahl hat sich bei meinem Fräulein anmelden
　　lassen; sie läßt sich nur noch die Haare von mir zurecht
　　legen, und mag gern dein Geschwätz hören.
B r i g i t t e *(die sich gesetzt).* Also Ihr seid Fräulein Kuni-
　　gunde von Thurneck?　15
K u n i g u n d e.　Ja Mütterchen; das bin ich.
B r i g i t t e.　Und nennt Euch eine Tochter des Kaisers?
K u n i g u n d e.　Des Kaisers? Nein; wer sagt dir das? Der
　　jetzt lebende Kaiser ist mir fremd; die Urenkelin eines
　　der vorigen Kaiser bin ich, die in verflossenen Jahrhun-　20
　　derten, auf dem deutschen Thron saßen.
B r i g i t t e.　O Herr! Es ist nicht möglich? Die Urenkel-
　　tochter –
K u n i g u n d e.　Nun ja!
R o s a l i e.　Hab ich es dir nicht gesagt?　25
B r i g i t t e.　Nun, bei meiner Treu, so kann ich mich ins
　　Grab legen: der Traum des Grafen vom Strahl ist aus!
K u n i g u n d e.　Welch ein Traum?
R o s a l i e.　Hört nur, hört! Es ist die wunderlichste Ge-
　　schichte von der Welt! – – Aber sei bündig, Mütterchen,　30
　　und spare den Eingang; denn die Zeit, wie ich dir schon
　　gesagt, ist kurz.
B r i g i t t e.　Der Graf war gegen das Ende des vorletzten
　　Jahres, nach einer seltsamen Schwermut, von welcher kein
　　Mensch die Ursache ergründen konnte, erkrankt; matt　35
　　lag er da, mit glutrotem Antlitz und phantasierte; die

Ärzte, die ihre Mittel erschöpft hatten, sprachen, er sei
nicht zu retten. Alles, was in seinem Herzen verschlossen
war, lag nun, im Wahnsinn des Fiebers, auf seiner Zunge:
er scheide gern, sprach er, von hinnen; das Mädchen, das
5 fähig wäre, ihn zu lieben, sei nicht vorhanden; Leben
aber ohne Liebe sei Tod; die Welt nannt er ein Grab, und
das Grab eine Wiege, und meinte, er würde nun erst geboren werden. – Drei hintereinander folgende Nächte,
während welcher seine Mutter nicht von seinem Bette
10 wich, erzählte er ihr, ihm sei ein Engel erschienen und
habe ihm zugerufen: Vertraue, vertraue, vertraue! Auf
der Gräfin Frage: ob sein Herz sich, durch diesen Zuruf
des Himmlischen, nicht gestärkt fühle? antwortete er:
»Gestärkt? Nein!« – und mit einem Seufzer setzte er hin-
15 zu: »doch! doch, Mutter! Wenn ich sie werde gesehen
haben!« – Die Gräfin fragt: und wirst du sie sehen? »Gewiß!« antwortet er. Wann? fragt sie. Wo? – »In der
Silvesternacht, wenn das neue Jahr eintritt; da wird er
mich zu ihr führen.« Wer? fragt sie, Lieber; zu wem? »Der
20 Engel«, spricht er, »zu meinem Mädchen« – wendet sich
und schläft ein.
Kunigunde. Geschwätz!
Rosalie. Hört sie nur weiter. – Nun?
Brigitte. Drauf in der Silvesternacht, in dem Augen-
25 blick, da eben das Jahr wechselt, hebt er sich halb vom
Lager empor, starrt, als ob er eine Erscheinung hätte, ins
Zimmer hinein, und, indem er mit der Hand zeigt: »Mut-
ter! Mutter! Mutter!« spricht er. Was gibts? fragt sie.
»Dort! Dort!« Wo? »Geschwind!« spricht er. – Was? –
30 »Den Helm! Den Harnisch! Das Schwert!« – Wo willst
du hin? fragt die Mutter. »Zu ihr«, spricht er, »zu ihr. So!
so! so!« und sinkt zurück; »Ade, Mutter ade!« streckt alle
Glieder von sich, und liegt wie tot.
Kunigunde. Tot?
35 Rosalie. Tot, ja!
Kunigunde. Sie meint, einem Toten gleich.
Rosalie. Sie sagt, tot! Stört sie nicht. – Nun?
Brigitte. Wir horchten an seiner Brust: es war so still
darin, wie in einer leeren Kammer. Eine Feder ward ihm
40 vorgehalten, seinen Atem zu prüfen: sie rührte sich nicht.

Der Arzt meinte in der Tat, sein Geist habe ihn verlassen;
rief ihm ängstlich seinen Namen ins Ohr; reizt' ihn, um
ihn zu erwecken, mit Gerüchen; reizt' ihn mit Stiften und
Nadeln, riß ihm ein Haar aus, daß sich das Blut zeigte;
vergebens: er bewegte kein Glied und lag, wie tot.   5
K u n i g u n d e. Nun? Darauf?
B r i g i t t e. Darauf, nachdem er einen Zeitraum so gelegen,
fährt er auf, kehrt sich, mit dem Ausdruck der Betrübnis,
der Wand zu, und spricht: »Ach! Nun bringen sie die
Lichter! Nun ist sie mir wieder verschwunden!« – gleich-   10
sam, als ob er durch den Glanz derselben verscheucht
würde. – Und da die Gräfin sich über ihn neigt und ihn
an ihre Brust hebt und spricht: Mein Friedrich! Wo warst
du? »Bei ihr«, versetzt er, mit freudiger Stimme; »bei ihr,
die mich liebt! bei der Braut, die mir der Himmel be-   15
stimmt hat! Geh, Mutter geh, und laß nun in allen Kirchen für mich beten: denn nun wünsch ich zu leben.«
K u n i g u n d e. Und bessert sich wirklich?
R o s a l i e. Das eben ist das Wunder.
B r i g i t t e. Bessert sich, mein Fräulein, bessert sich, in der 20
Tat; erholt sich, von Stund an, gewinnt, wie durch himmlischen Balsam geheilt, seine Kräfte wieder, und ehe der
Mond sich erneut, ist er so gesund wie zuvor.
K u n i g u n d e. Und erzählte? – Was erzählte er nun?
B r i g i t t e. Ach, und erzählte, und fand kein Ende zu er-   25
zählen: wie der Engel ihn, bei der Hand, durch die Nacht
geleitet; wie er sanft des Mädchens Schlafkämmerlein eröffnet, und alle Wände mit seinem Glanz erleuchtend, zu
ihr eingetreten sei; wie es dagelegen, das holde Kind, mit
nichts, als dem Hemdchen angetan, und die Augen bei   30
seinem Anblick groß aufgemacht, und gerufen habe, mit
einer Stimme, die das Erstaunen beklemmt: »Mariane!«
welches jemand gewesen sein müsse, der in der Neben-
kammer geschlafen; wie sie darauf, vom Purpur der
Freude über und über schimmernd, aus dem Bette gestie-   35
gen, und sich auf Knieen vor ihm niedergelassen, das
Haupt gesenkt, und: mein hoher Herr! gelispelt; wie der
Engel ihm darauf, daß es eine Kaisertochter sei, gesagt,
und ihm ein Mal gezeigt, das dem Kindlein rötlich auf
dem Nacken verzeichnet war, – wie er, von unendlichem   40

Entzücken durchbebt, sie eben beim Kinn gefaßt, um ihr
ins Antlitz zu schauen: und wie die unselige Magd nun,
die Mariane, mit Licht gekommen, und die ganze Erscheinung bei ihrem Eintritt wieder verschwunden sei.

5 K u n i g u n d e. Und nun meinst du, diese Kaisertochter sei
ich?

B r i g i t t e. Wer sonst?

R o s a l i e. Das sag ich auch.

B r i g i t t e. Die ganze Strahlburg, bei Eurem Einzug, als
10 sie erfuhr, wer Ihr seid, schlug die Hände über den Kopf
zusammen und rief: sie ists!

R o s a l i e. Es fehlte nichts, als daß die Glocken ihre Zungen gelöst, und gerufen hätten: ja, ja, ja!

K u n i g u n d e *(steht auf).* Ich danke dir, Mütterchen, für
15 deine Erzählung. Inzwischen nimm diese Ohrringe zum
Andenken, und entferne dich.

(Brigitte ab.)

ZEHNTER AUFTRITT

Kunigunde und Rosalie.

20 K u n i g u n d e *(nachdem sie sich im Spiegel betrachtet, geht
gedankenlos ans Fenster und öffnet es. – Pause.)*
Hast du mir alles dort zurecht gelegt,
Was ich dem Grafen zugedacht, Rosalie?
Urkunden, Briefe, Zeugnisse?

25 R o s a l i e *(am Tisch zurück geblieben).* Hier sind sie.
In diesem Einschlag liegen sie beisammen.

K u n i g u n d e.
Gib mir doch – *(Sie nimmt eine Leimrute, die draußen
befestigt ist, herein.)*

30 R o s a l i e.   Was, mein Fräulein?

K u n i g u n d e *(lebhaft).*   Schau, o Mädchen!
Ist dies die Spur von einem Fittich nicht?

R o s a l i e *(indem sie zu ihr geht).*
Was habt ihr da?

35 K u n i g u n d e.   Leimruten, die, ich weiß
Nicht wer? an diesem Fenster aufgestellt!
– Sieh, hat hier nicht ein Fittich schon gestreift?

R o s a l i e. Gewiß! Da ist die Spur. Was wars? Ein Zeisig?
K u n i g u n d e.
    Ein Finkenhähnchen wars, das ich vergebens
    Den ganzen Morgen schon herangelockt.
R o s a l i e. Seht nur dies Federchen. Das ließ er stecken!   5
K u n i g u n d e *(gedankenvoll)*.
    Gib mir doch –
R o s a l i e.   Was, mein Fräulein? Die Papiere?
K u n i g u n d e *(lacht und schlägt sie)*.
    Schelmin! – Die Hirse will ich, die dort steht.   10
    (Rosalie lacht, und geht und holt die Hirse.)

EILFTER AUFTRITT

Ein Bedienter tritt auf. Die Vorigen.

D e r B e d i e n t e. Graf Wetter vom Strahl, und die Grä-
fin seine Mutter!   15
K u n i g u n d e *(wirft alles aus der Hand)*. Rasch! Mit den
Sachen weg.
R o s a l i e. Gleich, gleich! *(Sie macht die Toilette zu und
geht ab.)*
K u n i g u n d e. Sie werden mir willkommen sein.   20

ZWÖLFTER AUFTRITT

*Gräfin Helena, der Graf vom Strahl treten auf. Fräulein
Kunigunde.*

K u n i g u n d e *(ihnen entgegen)*.
    Verehrungswürdge! Meines Retters Mutter,   25
    Wem dank ich, welchem Umstand, das Vergnügen,
    Daß ihr mir Euer Antlitz schenkt, daß Ihr
    Vergönnt, die teuren Hände Euch zu küssen?
G r ä f i n. Mein Fräulein, Ihr demütigt mich. Ich kam,
    Um Eure Stirn zu küssen, und zu fragen,   30
    Wie Ihr in meinem Hause Euch befindet?
K u n i g u n d e.
    Sehr wohl. Ich fand hier alles, was ich brauchte.
    Ich hatte nichts von Eurer Huld verdient,

Und Ihr besorgtet mich, gleich einer Tochter.
Wenn irgend etwas mir die Ruhe störte
So war es dies beschämende Gefühl;
Doch ich bedurfte nur den Augenblick,
5 Um diesen Streit in meiner Brust zu lösen.
(Sie wendet sich zum Grafen.)
Wie stehts mit Eurer linken Hand, Graf Friedrich?
Der Graf vom Strahl.
Mit meiner Hand? mein Fräulein! Diese Frage,
10 Ist mir empfindlicher als ihre Wunde!
Der Sattel wars, sonst nichts, an dem ich mich
Unachtsam stieß, Euch hier vom Pferde hebend.
Gräfin. Ward sie verwundet? – Davon weiß ich nichts.
Kunigunde.
15 Es fand sich, als wir dieses Schloß erreichten,
Daß ihr, in hellen Tropfen, Blut entfloß.
Der Graf vom Strahl.
Die Hand selbst, seht Ihr, hat es schon vergessen.
Wenns Freiburg war, dem ich im Kampf um Euch,
20 Dies Blut gezahlt, so kann ich wirklich sagen:
Schlecht war der Preis, um den er Euch verkauft.
Kunigunde. Ihr denkt von seinem Werte so – nicht ich.
(Indem sie sich zur Mutter wendet.)
– Doch wie? Wollt Ihr Euch, Gnädigste, nicht setzen?
25 *(Sie holt einen Stuhl, der Graf bringt die andern. Sie lassen*
sich sämtlich nieder.)
Gräfin. Wie denkt Ihr, über Eure Zukunft, Fräulein?
Habt Ihr die Lag, in die das Schicksal Euch
Versetzt, bereits erwogen? Wißt Ihr schon,
30 Wie Euer Herz darin sich fassen wird?
Kunigunde *(bewegt)*.
Verehrungswürdige und gnädge Gräfin,
Die Tage, die mir zugemessen, denk ich
In Preis und Dank, in immer glühender
35 Erinnrung des, was jüngst für mich geschehn,
In unauslöschlicher Verehrung Eurer,
Und Eures Hauses, bis auf den letzten Odem,
Der meine Brust bewegt, wenns mir vergönnt ist,
In Thurneck bei den Meinen hinzubringen. *(Sie weint.)*
40 Gräfin. Wann denkt Ihr zu den Euren aufzubrechen?

K u n i g u n d e.
    Ich wünsche – weil die Tanten mich erwarten,
    – Wenns sein kann, morgen, – oder mindestens –
    In diesen Tagen, abgeführt zu werden.
G r ä f i n. Bedenkt Ihr auch, was dem entgegen steht?   5
K u n i g u n d e.
    Nichts mehr, erlauchte Frau, wenn Ihr mir nur
    Vergönnt, mich offen vor Euch zu erklären.
    (Sie küßt ihr die Hand; steht auf und holt die Papiere.)
    Nehmt dies von meiner Hand, Herr Graf vom Strahl.   10
D e r G r a f v o m S t r a h l *(steht auf.)*
    Mein Fräulein! Kann ich wissen, was es ist?
K u n i g u n d e.
    Die Dokumente sinds, den Streit betreffend,
    Um Eure Herrschaft Stauffen, die Papiere   15
    Auf die ich meinen Anspruch gründete.
D e r G r a f v o m S t r a h l.
    Mein Fräulein, Ihr beschämt mich, in der Tat!
    Wenn dieses Heft, wie Ihr zu glauben scheint,
    Ein Recht begründet: weichen will ich Euch,   20
    Und wenn es meine letzte Hütte gälte!
K u n i g u n d e.
    Nehmt, nehmt, Herr Graf vom Strahl! Die Briefe sind
    Zweideutig, seh ich ein, der Wiederkauf,
    Zu dem sie mich berechtigen, verjährt;   25
    Doch wär mein Recht so klar auch, wie die Sonne,
    Nicht gegen Euch mehr kann ichs geltend machen.
D e r G r a f v o m S t r a h l.
    Niemals, mein Fräulein, niemals, in der Tat!
    Mit Freuden nehm ich, wollt Ihr mir ihn schenken,   30
    Von Euch den Frieden an; doch, wenn auch nur
    Der Zweifel eines Rechts auf Stauffen Euer,
    Das Dokument nicht, das ihn Euch belegt!
    Bringt Eure Sache vor, bei Kaiser und bei Reich,
    Und das Gesetz entscheide, wer sich irrte.   35
K u n i g u n d e *(zur Gräfin).*
    Befreit denn Ihr, verehrungswürdge Gräfin,
    Von diesen leidgen Dokumenten mich,
    Die mir in Händen brennen, widerwärtig
    Zu dem Gefühl, das mir erregt ist, stimmen,   40

Und mir auf Gottes weiter Welt zu nichts mehr,
Lebt ich auch neunzig Jahre, helfen können.
G r ä f i n *(steht gleichfalls auf).*
Mein teures Fräulein! Eure Dankbarkeit
Führt Euch zu weit. Ihr könnt, was Eurer ganzen
Familie angehört, in einer flüchtigen
Bewegung nicht, die Euch ergriff, veräußern.
Nehmt meines Sohnes Vorschlag an und laßt
In Wetzlar die Papiere untersuchen;
Versichert Euch, Ihr werdet wert uns bleiben,
Man mag auch dort entscheiden, wie man wolle.
K u n i g u n d e *(mit Affekt).*
Nun denn, der Anspruch war mein Eigentum!
Ich brauche keinen Vetter zu befragen,
Und meinem Sohn vererb ich einst mein Herz!
Die Herrn in Wetzlar mag ich nicht bemühn:
Hier diese rasche Brust entscheidet so!
(Sie zerreißt die Papiere und läßt sie fallen.)
G r ä f i n. Mein liebes, junges, unbesonnes Kind,
Was habt Ihr da getan? – – Kommt her,
Weils doch geschehen ist, daß ich Euch küsse.
(Sie umarmt sie.)
K u n i g u n d e.
Ich *will* daß dem Gefühl, das mir entflammt,
Im Busen ist, nichts fürder widerspreche!
Ich *will*, die Scheidewand *soll* niedersinken,
Die zwischen mir und meinem Retter steht!
Ich will mein ganzes Leben ungestört,
Durchatmen, ihn zu preisen, ihn zu lieben.
G r ä f i n *(gerührt).*
Gut, gut, mein Töchterchen. Es ist schon gut,
Ihr seid zu sehr erschüttert.
D e r G r a f v o m S t r a h l. – Ich will wünschen,
Daß diese Tat Euch nie gereuen möge.
(Pause.)
K u n i g u n d e *(trocknet sich die Augen).*
Wann darf ich nun nach Thurneck wiederkehren?
G r ä f i n. Gleich! *Wann* Ihr wollt! Mein Sohn selbst wird
Euch führen!
K u n i g u n d e. So seis – auf morgen denn!

Gräfin.   Gut! Ihr begehrt es.
    Obschon ich gern Euch länger bei mir sähe. –
    Doch heut bei Tisch noch macht Ihr uns die Freude?
Kunigunde *(verneigt sich).*
    Wenn ich mein Herz kann sammeln, wart ich auf. *(Ab.)*

DREIZEHNTER AUFTRITT

Gräfin Helena. Der Graf vom Strahl.

Der Graf vom Strahl.
    So wahr, als ich ein Mann bin, die begehr ich
    Zur Frau!
Gräfin.   Nun, nun, nun, nun!
Der Graf vom Strahl.   Was! Nicht?
    Du willst, daß ich mir eine wählen soll;
    Doch die nicht? Diese nicht? Die nicht?
Gräfin.   Was willst du?
    Ich sagte nicht, daß sie mir ganz mißfällt.
Der Graf vom Strahl.
    Ich will auch nicht, daß heut noch Hochzeit sei:
    – Sie ist vom Stamm der alten sächsschen Kaiser.
Gräfin. Und der Silvesternachttraum spricht für sie?
    Nicht? Meinst du nicht?
Der Graf vom Strahl. Was soll ichs bergen: ja!
Gräfin. Laß uns die Sach ein wenig überlegen. *(Ab.)*

DRITTER AKT

Szene: Gebirg und Wald. Eine Einsiedelei.

Theobald und Gottfried Friedeborn führen das Käthchen
von einem Felsen herab.

T h e o b a l d. Nimm dich in acht, mein liebes Käthchen;
der Gebirgspfad, siehst du, hat eine Spalte. Setze deinen
Fuß hier auf diesen Stein, der ein wenig mit Moos bewachsen ist; wenn ich wüßte, wo eine Rose wäre, so wollte
ich es dir sagen. – So!
G o t t f r i e d. Doch hast wohl Gott, Käthchen, nichts von
der Reise anvertraut, die du heut zu tun willens warst? –
Ich glaubte, an dem Kreuzweg, wo das Marienbild steht,
würden zwei Engel kommen, Jünglinge, von hoher Gestalt, mit schneeweißen Fittichen an den Schultern, und
sagen: Ade, Theobald! Ade, Gottfried! Kehrt zurück, von
wo ihr gekommen seid; wir werden das Käthchen jetzt
auf seinem Wege zu Gott weiter führen. – Doch es war
nichts; wir mußten dich ganz bis ans Kloster herbringen.
T h e o b a l d. Die Eichen sind so still, die auf den Bergen
verstreut sind: man hört den Specht, der daran pickt. Ich
glaube, sie wissen, daß Käthchen angekommen ist, und
lauschen auf das, was sie denkt. Wenn ich mich doch in
die Welt auflösen könnte, um es zu erfahren. Harfenklang
muß nicht lieblicher sein, als ihr Gefühl; es würde Israel
hinweggelockt von David und seinen Zungen neue Psalter
gelehrt haben. – Mein liebes Käthchen?
K ä t h c h e n. Mein lieber Vater!
T h e o b a l d. Sprich ein Wort.
K ä t h c h e n. Sind wir am Ziele?
T h e o b a l d. Wir sinds. Dort in jenem freundlichen Ge-
bäude, das mit seinen Türmen zwischen die Felsen ge-
klemmt ist, sind die stillen Zellen der frommen Augusti-
nermönche; und hier, der geheiligte Ort, wo sie beten.

K ä t h c h e n. Ich fühle mich matt.

T h e o b a l d. Wir wollen uns setzen. Komm, gib mir deine
Hand, daß ich dich stütze. Hier vor diesem Gitter ist eine
Ruhebank, mit kurzem und dichtem Gras bewachsen:
schau her, das angenehmste Plätzchen, das ich jemals sah.

(Sie setzen sich.)

G o t t f r i e d. Wie befindest du dich?

K ä t h c h e n. Sehr wohl.

T h e o b a l d. Du scheinst doch blaß, und deine Stirne ist
voll Schweiß?

(Pause.)

G o t t f r i e d. Sonst warst du so rüstig, konntest meilen-
weit wandern, durch Wald und Feld, und brauchtest
nichts, als einen Stein, und das Bündel das du auf der
Schulter trugst, zum Pfühl, um dich wieder herzustellen;
und heut bist du so erschöpft, daß es scheint, als ob alle
Betten, in welchen die Kaiserin ruht, dich nicht wieder
auf die Beine bringen würden.

T h e o b a l d. Willst du mit etwas erquickt sein.

G o t t f r i e d. Soll ich gehen und dir einen Trunk Wasser
schöpfen?

T h e o b a l d. Oder suchen wo dir eine Frucht blüht?

G o t t f r i e d. Sprich, mein liebes Käthchen!

K ä t h c h e n. Ich danke dir, lieber Vater.

T h e o b a l d. Du dankst uns.

G o t t f r i e d. Du verschmähst alles.

T h e o b a l d. Du begehrst nichts, als daß ich ein Ende
mache: hingehe und dem Prior Hatto, – meinem alten
Freund, sage: der alte Theobald sei da, der sein einzig
liebes Kind begraben wolle.

K ä t h c h e n. Mein lieber Vater!

T h e o b a l d. Nun gut. Es soll geschehn. Doch bevor wir
die entscheidenden Schritte tun, die nicht mehr zurück zu
nehmen sind, will ich dir noch etwas sagen. Ich will dir
sagen, was Gottfried und mir eingefallen ist, auf dem
Wege hierher, und was, wie uns scheint, ins Werk zu richten notwendig ist, bevor wir den Prior in dieser Sache
sprechen. – Willst du es wissen?

K ä t h c h e n. Rede!

T h e o b a l d. Nun wohlan, so merk auf, und prüfe dein

kann; wenn Eginhardt mit Kundschaft aus der Thurneck zurückkommt, geb ich euch meine weitern Befehle.
(Das Gefolge ab.)

Wer wohnt hier?

J a k o b P e c h. Halten zu Gnaden, ich und meine Frau, gestrenger Herr.

R h e i n g r a f. Und hier?

J a k o b P e c h. Vieh.

R h e i n g r a f. Wie?

J a k o b P e c h. Vieh. – Eine Sau mit ihrem Wurf, halten zu Gnaden; es ist ein Schweinstall, von Latten draußen angebaut.

R h e i n g r a f. Gut. – Wer wohnt hier?

J a k o b P e c h. Wo?

R h e i n g r a f. Hinter dieser dritten Tür?

J a k o b P e c h. Niemand, halten zu Gnaden.

R h e i n g r a f. Niemand?

J a k o b P e c h. Niemand gestrenger Herr, gewiß und wahrhaftig. Oder vielmehr jedermann. Es geht wieder aufs offne Feld hinaus.

R h e i n g r a f. Gut. – Wie heißest du?

J a k o b P e c h. Jakob Pech.

R h e i n g r a f. Tritt ab, Jakob Pech. –
(Der Gastwirt ab.)

R h e i n g r a f. Ich will mich hier, wie die Spinne, zusammen knäueln, daß ich aussehe, wie ein Häuflein argloser Staub; und wenn sie im Netz sitzt, diese Kunigunde, über sie herfahren – den Stachel der Rache tief eindrücken in ihre treulose Brust: töten, töten, töten, und ihr Gerippe, als das Monument einer Erzbuhlerin, in dem Gebälke der Steinburg aufbewahren!

F r i e d r i c h. Ruhig, ruhig Albrecht! Eginhardt, den du nach Thurneck gesandt hast, ist noch, mit der Bestätigung dessen, was du argwohnst, nicht zurück.

R h e i n g r a f. Da hast du recht, Freund; Eginhardt ist noch nicht zurück. Zwar in dem Zettel, den mir die Bübin schrieb, steht: ihre Empfehlung voran; es sei nicht nötig, daß ich mich fürder um sie bemühe; Stauffen sei ihr von dem Grafen vom Strahl, auf dem Wege freundlicher Vermittlung, abgetreten. Bei meiner unsterblichen Seele, hat

dies irgend einen Zusammenhang, der rechtschaffen ist:
so will ich es hinunterschlucken, und die Kriegsrüstung,
die ich für sie gemacht, wieder auseinander gehen lassen.
Doch wenn Eginhardt kommt und mir sagt, was mir das
Gerüchte schon gesteckt, daß sie ihm mit ihrer Hand
verlobt ist: so will ich meine Artigkeit, wie ein Taschenmesser, zusammenlegen, und ihr die Kriegskosten wieder
abjagen: müßt ich sie umkehren, und ihr den Betrag
hellerweise aus den Taschen herausschütteln.

DRITTER AUFTRITT

Eginhardt von der Wart tritt auf. Die Vorigen.

R h e i n g r a f. Nun, Freund, alle Grüße treuer Brüder-
schaft über dich! – Wie stehts auf dem Schlosse zu Thurneck?

E g i n h a r d t. Freunde, es ist alles, wie der Ruf uns er-
zählt! Sie gehen mit vollen Segeln auf dem Ozean der
Liebe, und ehe der Mond sich erneut, sind sie in den Hafen
der Ehe eingelaufen.

R h e i n g r a f. Der Blitz soll ihre Masten zersplittern, ehe
sie ihn erreichen!

F r i e d r i c h. Sie sind miteinander verlobt?

E g i n h a r d t. Mit dürren Worten, glaub ich, nein; doch
wenn Blicke reden, Mienen schreiben und Händedrücke
siegeln können, so sind die Ehepakten fertig.

R h e i n g r a f. Wie ist es mit der Schenkung von Stauffen
zugegangen? Das erzähle!

F r i e d r i c h. Wann machte er ihr das Geschenk?

E g i n h a r d t. Ei! Vorgestern, am Morgen ihres Geburts-
tags, da die Vettern ihr ein glänzendes Fest in der Thurneck bereitet hatten. Die Sonne schien kaum rötlich auf ihr
Lager: da findet sie das Dokument schon auf der Decke
liegen; das Dokument, versteht mich, in ein Briefchen des
verliebten Grafen eingewickelt, mit der Versicherung, daß
es ihr Brautgeschenk sei, wenn sie sich entschließen könne,
ihm ihre Hand zu geben.

R h e i n g r a f. Sie nahm es? Natürlich! Sie stellte sich vor
den Spiegel, knixte, und nahm es?

E g i n h a r d t. Das Dokument? Allerdings.

F r i e d r i c h. Aber die Hand, die dagegen gefordert ward?

E g i n h a r d t. O die verweigerte sie nicht.

F r i e d r i c h. Was! Nicht?

E g i n h a r d t. Nein. Gott behüte! Wann hätte sie je einem Freier ihre Hand verweigert?

R h e i n g r a f. Aber sie hält, wenn die Glocke geht, nicht Wort?

E g i n h a r d t. Danach habt Ihr mich nicht gefragt.

R h e i n g r a f. Wie beantwortete sie den Brief?

E g i n h a r d t. Sie sei so gerührt, daß ihre Augen, wie zwei Quellen, niederträufelten, und ihre Schrift ertränkten; – die Sprache, an die sie sich wenden müsse, ihr Gefühl auszudrücken, sei ein Bettler. – Er habe, auch ohne dieses Opfer, ein ewiges Recht an ihre Dankbarkeit, und es sei, wie mit einem Diamanten, in ihre Brust geschrieben; – kurz, einen Brief voll doppelsinniger Fratzen, der, wie der Schillertaft, zwei Farben spielt, und weder ja sagt, noch nein.

R h e i n g r a f. Nun, Freunde; ihre Zauberei geht, mit diesem Kunststück zu Grabe! Mich betrog sie, und keinen mehr; die Reihe derer, die sie am Narrenseil geführt hat, schließt mit mir ab. – Wo sind die beiden reitenden Boten?

F r i e d r i c h *(in die Tür rufend).* He!

VIERTER AUFTRITT

Zwei Boten treten auf. Die Vorigen.

R h e i n g r a f *(nimmt zwei Briefe aus dem Kollett).* Diese beiden Briefe nehmt ihr – diesen du, diesen du; und tragt sie – diesen hier du an den Dominikanerprior Hatto, verstehst du? Ich würd Glock sieben gegen Abend kommen, und Absolution in seinem Kloster empfangen. Diesen hier du an Peter Quanz, Haushofmeister in der Burg zu Thurneck; Schlag zwölf um Mitternacht stünd ich mit meinem Kriegshaufen vor dem Schloß, und bräche ein. Du gehst nicht eher in die Burg, du, bis es finster ist, und

lässest dich vor keinem Menschen sehen; verstehst du
mich? – Du brauchst das Tageslicht nicht zu scheuen. –
Habt ihr mich verstanden?
Die Boten. Gut.
Rheingraf *(nimmt ihnen die Briefe wieder aus der
Hand)*. Die Briefe sind doch nicht verwechselt?
Friedrich. Nein, nein.
Rheingraf. Nicht? – – Himmel und Erde!
Eginhardt. Was gibts?
Rheingraf. Wer versiegelte sie?
Friedrich. Die Briefe?
Rheingraf. Ja!
Friedrich. Tod und Verderben! Du versiegeltest sie
selbst!
Rheingraf *(gibt den Boten die Briefe wieder)*. Ganz
recht! hier, nehmt! Auf der Mühle, beim Sturzbach, werd
ich euch erwarten! – Kommt meine Freunde!
(Alle ab.)

Szene: Thurneck. Ein Zimmer in der Burg.

FÜNFTER AUFTRITT

*Der Graf vom Strahl sitzt gedankenvoll an einem Tisch, auf
welchem zwei Lichter stehen. Er hält eine Laute in der
Hand, und tut einige Griffe darauf. Im Hintergrunde, bei
seinen Kleidern und Waffen beschäftigt, Gottschalk.*

Stimme *(von außen)*.
        Macht auf! Macht auf! Macht auf!
Gottschalk.   Holla! – Wer ruft?
Stimme.
        Ich, Gottschalk, bins; ich bins, du lieber Gottschalk!
Gottschalk.
        Wer?
Stimme. Ich!
Gottschalk. Du?
Stimme.   Ja!
Gottschalk.   Wer?
Stimme.   Ich!

Der Graf vom Strahl *(legt die Laute weg).*

Die Stimme kenn ich!

Gottschalk.

Mein Seel! Ich hab sie auch schon wo gehört.

5 **Stimme.** Herr Graf vom Strahl! Macht auf! Herr Graf
vom Strahl!

Der Graf vom Strahl.

Bei Gott! Das ist –

Gottschalk. Das ist, so wahr ich lebe –

10 **Stimme.** Das Käthchen ists! Wer sonst! Das Käthchen ists,
Das kleine Käthchen von Heilbronn!

Der Graf vom Strahl *(steht auf).*

Wie? Was? zum Teufel!

Gottschalk *(legt alles aus der Hand).*

5 Du, Mädel? Was? O Herzensmädel! Du?
(Er öffnet die Tür.)

Der Graf vom Strahl.

Ward, seit die Welt steht, so etwas –?

Käthchen *(indem sie eintritt).* Ich bins.

10 **Gottschalk.**

Schaut her, bei Gott! Schaut her, sie ist es selbst!

SECHSTER AUFTRITT

Das Käthchen mit einem Brief. Die Vorigen.

Der Graf vom Strahl.

5 Schmeiß sie hinaus. Ich will nichts von ihr wissen.

Gottschalk. Was! Hört ich recht –?

Käthchen. Wo ist der Graf vom Strahl?

Der Graf vom Strahl.

Schmeiß sie hinaus! Ich will nichts von ihr wissen!

10 **Gottschalk** *(nimmt sie bei der Hand).*

Wie, gnädiger Herr, vergönnt –!

Käthchen *(reicht ihm den Brief).*

Hier! nehmt, Herr Graf!

Der Graf vom Strahl *(sich plötzlich zu ihr wen-*
5 *dend).* Was willst du hier? Was hast du hier zu suchen?

Käthchen *(erschrocken).*

Nichts! – Gott behüte! Diesen Brief hier bitt ich –

Der Graf vom Strahl.
>   Ich *will* ihn nicht! – Was ist dies für ein Brief?
>   Wo kommt er her? Und was enthält er mir?

Käthchen. Der Brief hier ist –

Der Graf vom Strahl. Ich will davon nichts wissen!
>   Fort! Gib ihn unten in dem Vorsaal ab.

Käthchen.
>   Mein hoher Herr! Laßt bitt ich, Euch bedeuten –

Der Graf vom Strahl *(wild)*.
>   Die Dirne, die landstreichend unverschämte!
>   Ich will nichts von ihr wissen! Hinweg, sag ich!
>   Zurück nach Heilbronn, wo du hingehörst!

Käthchen. Herr meines Lebens! Gleich verlaß ich Euch!
>   Den Brief nur hier, der Euch sehr wichtig ist,
>   Erniedrigt Euch, von meiner Hand zu nehmen.

Der Graf vom Strahl.
>   Ich aber *will* ihn nicht! Ich *mag* ihn nicht!
>   Fort! Augenblicks! Hinweg!

Käthchen.   Mein hoher Herr!

Der Graf vom Strahl *(wendet sich)*.
>   Die Peitsche her! An welchem Nagel hängt sie?
>   Ich will doch sehn, ob ich, vor losen Mädchen,
>   In meinem Haus nicht Ruh mir kann verschaffen.
>   *(Er nimmt die Peitsche von der Wand.)*

Gottschalk.
>   O gnädger Herr! Was macht Ihr? Was beginnt Ihr?
>   Warum auch wollt Ihr, den nicht sie verfaßt,
>   Den Brief, nicht freundlich aus der Hand ihr nehmen?

Der Graf vom Strahl.
>   Schweig, alter Esel, du, sag ich.

Käthchen *(zu Gottschalk)*.   Laß, laß!

Der Graf vom Strahl.
>   In Thurneck bin ich hier, weiß, was ich tue;
>   Ich will den Brief aus ihrer Hand nicht nehmen!
>   – Willst du jetzt gehn?

Käthchen *(rasch)*.   Ja, mein verehrter Herr!

Der Graf vom Strahl.
>   Wohlan!

Gottschalk *(halblaut zu Käthchen da sie zittert)*.
>   Sei ruhig. Fürchte nichts.

Der Graf vom Strahl.   So fern dich! –
Am Eingang steht ein Knecht, dem gib den Brief,
Und kehr des Weges heim, von wo du kamst.
Käthchen.
5   Gut, gut. Du wirst mich dir gehorsam finden.
Peitsch mich nur nicht, bis ich mit Gottschalk sprach. –
(Sie kehrt sich zu Gottschalk um.)
Nimm du den Brief.
Gottschalk.   Gib her, mein liebes Kind.
10   Was ist dies für ein Brief? Und was enthält er?
Käthchen.
Der Brief hier ist vom Graf vom Stein, verstehst du?
Ein Anschlag, der noch heut vollführt soll werden,
Auf Thurneck, diese Burg, darin enthalten,
15   Und auf das schöne Fräulein Kunigunde,
Des Grafen, meines hohen Herren, Braut.
Gottschalk.
Ein Anschlag auf die Burg? Es ist nicht möglich!
Und vom Graf Stein? – Wie kamst du zu dem Brief?
20 **Käthchen.** Der Brief ward Prior Hatto übergeben,
Als ich mit Vater just, durch Gottes Fügung,
In dessen stiller Klause mich befand.
Der Prior, der verstand den Inhalt nicht,
Und wollt ihn schon dem Boten wiedergeben;
25   Ich aber riß den Brief ihm aus der Hand,
Und eilte gleich nach Thurneck her, euch alles
Zu melden, in die Harnische zu jagen;
Denn heut, Schlag zwölf um Mitternacht, soll schon
Der mörderische Frevel sich vollstrecken.
30 **Gottschalk.** Wie kam der Prior Hatto zu dem Brief?
Käthchen. Lieber, das weiß ich nicht; es ist gleichviel.
Er ist, du siehst, an irgend wen geschrieben,
Der hier im Schloß zu Thurneck wohnhaft ist;
Was er dem Prior soll, begreift man nicht.
35   Doch daß es mit dem Anschlag richtig ist,
Das hab ich selbst gesehn; denn kurz und gut,
Der Graf zieht auf die Thurneck schon heran:
Ich bin ihm, auf dem Pfad hieher, begegnet.
Gottschalk.
40   Du siehst Gespenster, Töchterchen!

Käthchen.   Gespenster! –
    Ich sage, nein! So wahr ich Käthchen bin!
    Der Graf liegt draußen vor der Burg, und wer
    Ein Pferd besteigen will, und um sich schauen,
    Der kann den ganzen weiten Wald ringsum
    Erfüllt von seinen Reisigen erblicken!
Gottschalk.
    – Nehmt doch den Brief, Herr Graf, und seht selbst zu.
    Ich weiß nicht, was ich davon denken soll.
Der Graf vom Strahl *(legt die Peitsche weg, nimmt*
    den Brief und entfaltet ihn).
    »Um zwölf Uhr, wenn das Glöckchen schlägt, bin ich
    Vor Thurneck. Laß die Tore offen sein.
    Sobald die Flamme zuckt, zieh ich hinein.
    Auf niemand münz ich es, als Kunigunden,
    Und ihren Bräutigam, den Graf vom Strahl:
    Tu mir zu wissen, Alter, wo sie wohnen.«
Gottschalk. Ein Höllenfrevel! – Und die Unterschrift?
Der Graf vom Strahl. Das sind drei Kreuze.
                        (Pause.)
    Wie stark fandst du den Kriegstroß, Katharina?
Käthchen.
    Auf sechzig Mann, mein hoher Herr, bis siebzig.
Der Graf vom Strahl.
    Sahst du ihn selbst den Graf vom Stein?
Käthchen.   Ihn nicht.
Der Graf vom Strahl.
    Wer führte seine Mannschaft an?
Käthchen.   Zwei Ritter,
    Mein hochverehrter Herr, die ich nicht kannte.
Der Graf vom Strahl.
    Und jetzt, sagst du, sie lägen vor der Burg?
Käthchen. Ja, mein verehrter Herr.
Der Graf vom Strahl.   Wie weit von hier?
Käthchen.
    Auf ein dreitausend Schritt, verstreut im Walde.
Der Graf vom Strahl.
    Rechts, auf der Straße?
Käthchen.   Links, im Föhrengrunde,
    Wo überm Sturzbach sich die Brücke baut.

(Pause.)

Gottschalk. Ein Anschlag, greuelhaft, und unerhört!
Der Graf vom Strahl *(steckt den Brief ein).*
    Ruf mir sogleich die Herrn von Thurneck her!
5 – Wie hoch ists an der Zeit?
Gottschalk.   Glock halb auf zwölf.
Der Graf vom Strahl.
    So ist kein Augenblick mehr zu verlieren.
    (Er setzt sich den Helm auf.)
10 **Gottschalk.**
    Gleich, gleich; ich gehe schon! – Komm, liebes Käthchen,
    Daß ich dir das erschöpfte Herz erquicke! –
    Wie großen Dank, bei Gott, sind wir dir schuldig?
    So in der Nacht, durch Wald und Feld und Tal –
15 **Der Graf vom Strahl.**
    Hast du mir sonst noch, Jungfrau, was zu sagen?
Käthchen. Nein, mein verehrter Herr.
Der Graf vom Strahl.   – Was suchst du da?
Käthchen *(sich in den Busen fassend).*
20   Den Einschlag, der vielleicht dir wichtig ist.
    Ich glaub, ich hab –? Ich glaub, er ist –?
    (Sie sieht sich um.)
Der Graf vom Strahl.   Der Einschlag?
Käthchen.
25   Nein, hier.
    (Sie nimmt das Kuvert und gibt es dem Grafen.)
Der Graf vom Strahl.
    Gib her! *(Er betrachtet das Papier.)*
            Dein Antlitz speit ja Flammen! –
30 Du nimmst dir gleich ein Tuch um, Katharina,
    Und trinkst nicht ehr, bis du dich abgekühlt.
    – Du aber hast keins?
Käthchen.   Nein –
Der Graf vom Strahl *(macht sich die Schärpe los*
35 *– wendet sich plötzlich, und wirft sie auf den Tisch.)*
            So nimm die Schürze.
    (Nimmt die Handschuh und zieht sie an.)
    Wenn du zum Vater wieder heim willst kehren,
    Werd ich, wie sichs von selbst versteht –
40   *(Er hält inne.)*

Käthchen.   Was wirst du?
Der Graf vom Strahl *(erblickt die Peitsche).*
    Was macht die Peitsche hier?
Gottschalk.   Ihr selbst ja nahmt sie –!
Der Graf vom Strahl *(ergrimmt).*   5
    Hab ich hier Hunde, die zu schmeißen sind?
    (Er wirft die Peitsche, daß die Scherben niederklirren,
    durchs Fenster; hierauf zu Käthchen:)
    Pferd dir, mein liebes Kind, und Wagen geben,
    Die sicher nach Heilbronn dich heimgeleiten.   10
    – Wann denkst du heim?
Käthchen *(zitternd).*   Gleich, mein verehrter Herr.
Der Graf vom Strahl *(streichelt ihre Wangen).*
    Gleich nicht! Du kannst im Wirtshaus übernachten.
    (Er weint.)   15
    – Was glotzt er da? Geh, nimm die Scherben auf!
    (Gottschalk hebt die Scherben auf. Er nimmt die
    Schärpe vom Tisch, und gibt sie Käthchen.)
    Da! Wenn du dich gekühlt, gib mir sie wieder.
Käthchen *(sie will seine Hand küssen).*   20
    Mein hoher Herr!
Der Graf vom Strahl *(wendet sich von ihr ab).*
           Leb wohl! Leb wohl! Leb wohl!
    (Getümmel und Glockenklang draußen.)
Gottschalk. Gott, der Allmächtige!   25
Käthchen.   Was ist? Was gibts?
Gottschalk.
    Ist das nicht Sturm?
Käthchen.   Sturm?
Der Graf vom Strahl.   30
               Auf! Ihr Herrn von Thurneck!
    Der Rheingraf, beim Lebendgen, ist schon da!
         (Alle ab.)

Szene: Platz vor dem Schloß. Es ist Nacht. Das Schloß
          brennt. Sturmgeläute.

SIEBENTER AUFTRITT

E i n   N a c h t w ä c h t e r *(tritt auf und stößt ins Horn).*
5   Feuer! Feuer! Feuer! Erwacht ihr Männer von Thurn-
     eck, ihr Weiber und Kinder des Fleckens erwacht! Werft
     den Schlaf nieder, der, wie ein Riese, über euch liegt; be-
     sinnt euch, ersteht und erwacht! Feuer! Der Frevel zog
     auf Socken durchs Tor! Der Mord steht, mit Pfeil und
10   Bogen, mitten unter euch, und die Verheerung, um ihm
     zu leuchten, schlägt ihre Fackel an alle Ecken der Burg!
     Feuer! Feuer! O daß ich eine Lunge von Erz und ein Wort
     hätte, das sich mehr schreien ließe, als dies: Feuer! Feuer!
     Feuer!

ACHTER AUFTRITT

*Der Graf vom Strahl. Die drei Herren von Thurneck. Ge-
         folge. Der Nachtwächter.*

D e r   G r a f   v o m   S t r a h l. Himmel und Erde! Wer
     steckte das Schloß in Brand? – Gottschalk!
20 G o t t s c h a l k *(außerhalb der Szene).* He!
D e r   G r a f   v o m   S t r a h l. Mein Schild, meine Lanze!
R i t t e r   v o n   T h u r n e c k. Was ist geschehn?
D e r   G r a f   v o m   S t r a h l. Fragt nicht, nehmt was hier
     steht, fliegt auf die Wälle, kämpft und schlagt um euch,
25   wie angeschossene Eber!
R i t t e r   v o n   T h u r n e c k. Der Rheingraf ist vor den
     Toren?
D e r   G r a f   v o m   S t r a h l. Vor den Toren, ihr Herrn,
     und ehe ihr den Riegel vorschiebt, drin: Verräterei, im
30   Innern des Schlosses, hat sie ihm geöffnet!
R i t t e r   v o n   T h u r n e c k. Der Mordanschlag, der un-
     erhörte! – Auf! *(Ab mit Gefolge.)*
D e r   G r a f   v o m   S t r a h l. Gottschalk!
G o t t s c h a l k *(außerhalb).* He!
35 D e r   G r a f   v o m   S t r a h l. Mein Schwert! Mein Schild!
     meine Lanze.

NEUNTER AUFTRITT

Das Käthchen tritt auf. Die Vorigen.

K ä t h c h e n *(mit Schwert, Schild und Lanze).* Hier!
D e r G r a f v o m S t r a h l *(indem er das Schwert nimmt
und es sich umgürtet).* Was willst du? 5
K ä t h c h e n. Ich bringe dir die Waffen.
D e r G r a f v o m S t r a h l. Dich rief ich nicht!
K ä t h c h e n. Gottschalk rettet.
D e r G r a f v o m S t r a h l. Warum schickt er den Buben
nicht? – Du dringst dich schon wieder auf? 10
(Der Nachtwächter stößt wieder ins Horn.)

ZEHNTER AUFTRITT

Ritter Flammberg mit Reisigen. Die Vorigen.

F l a m m b e r g. Ei, so blase du, daß dir die Wangen ber-
sten! Fische und Maulwürfe wissen, daß Feuer ist, was 15
braucht es deines gotteslästerlichen Gesangs, um es uns zu
verkündigen?
D e r G r a f v o m S t r a h l. Wer da?
F l a m m b e r g. Strahlburgische!
D e r G r a f v o m S t r a h l. Flammberg? 20
F l a m m b e r g. Er selbst!
D e r G r a f v o m S t r a h l. Tritt heran! – Verweil hier,
bis wir erfahren, wo der Kampf tobt!

EILFTER AUFTRITT

Die Tanten von Thurneck treten auf. Die Vorigen. 25

E r s t e T a n t e. Gott helf uns!
D e r G r a f v o m S t r a h l. Ruhig, ruhig.
Z w e i t e T a n t e. Wir sind verloren! Wir sind gespießt.
D e r G r a f v o m S t r a h l. Wo ist Fräulein Kunigunde,
eure Nichte? 30
D i e T a n t e n. Das Fräulein, unsre Nichte?
K u n i g u n d e *(im Schloß).* Helft! Ihr Menschen! Helft!
D e r G r a f v o m S t r a h l. Gott im Himmel! War das

nicht ihre Stimme? *(Er gibt Schild und Lanze an Käth-chen.)*

Erste Tante. Sie rief! – Eilt, eilt!

Zweite Tante. Dort erscheint sie im Portal!

5 Erste Tante. Geschwind! Um aller Heiligen! Sie wankt, sie fällt!

Zweite Tante. Eilt sie zu unterstützen!

ZWÖLFTER AUFTRITT

Kunigunde von Thurneck. Die Vorigen.

10 Der Graf vom Strahl *(empfängt sie in seinen Ar-men)*. Meine Kunigunde!

Kunigunde *(schwach)*.
Das Bild, das Ihr mir jüngst geschenkt, Graf Friedrich!
Das Bild mit dem Futtral!

15 Der Graf vom Strahl. Was solls? Wo ists?

Kunigunde.
Im Feu'r! Weh mir! Helft! Rettet! Es verbrennt.

Der Graf vom Strahl.
Laßt, laßt! Habt Ihr mich selbst nicht, Teuerste?

20 Kunigunde.
Das Bild mit dem Futtral, Herr Graf vom Strahl!
Das Bild mit dem Futtral!

Käthchen *(tritt vor)*. Wo liegts, wo stehts?
(Sie gibt Schild und Lanze an Flammberg.)

25 Kunigunde.
Im Schreibtisch! Hier, mein Goldkind, ist der Schlüssel!
(Käthchen geht.)

Der Graf vom Strahl.
Hör, Käthchen!

30 Kunigunde. Eile!

Der Graf vom Strahl. Hör, mein Kind!

Kunigunde. Hinweg!
Warum auch stellt Ihr wehrend Euch –?

Der Graf vom Strahl. Mein Fräulein,
35 Ich will zehn andre Bilder Euch statt dessen –

Kunigunde *(unterbricht ihn)*.
Dies brauch ich, dies; sonst keins! – Was es mir gilt,

      Ist hier der Ort jetzt nicht, Euch zu erklären. –
      Geh, Mädchen geh, schaff Bild mir und Futtral:
      Mit einem Diamanten lohn ichs dir!
Der Graf vom Strahl.
      Wohlan, so schaffs! Es ist der Törin recht!
      Was hatte sie an diesem Ort zu suchen?
Käthchen. Das Zimmer – rechts?
Kunigunde.   Links, Liebchen; eine Treppe,
      Dort, wo der Altan, schau, den Eingang ziert!
Käthchen. Im Mittelzimmer?   1
Kunigunde.   In dem Mittelzimmer!
      Du fehlst nicht, lauf; denn die Gefahr ist dringend!
Käthchen.
      Auf! Auf! Mit Gott! Mit Gott! Ich bring es Euch! *(Ab.)*

                DREIZEHNTER AUFTRITT   1

              Die Vorigen, ohne Käthchen.

Der Graf vom Strahl.
      Ihr Leut, hier ist ein Beutel Gold für den,
      Der in das Haus ihr folgt!
Kunigunde.   Warum? Weshalb?   2
Der Graf vom Strahl.
      Veit Schmidt! Hans, du! Karl Böttiger! Fritz Töpfer!
      Ist niemand unter euch?
Kunigunde.   Was fällt Euch ein?
Der Graf vom Strahl.   2
      Mein Fräulein, in der Tat, ich muß gestehn –
Kunigunde. Welch ein besondrer Eifer glüht Euch an? –
      Was ist dies für ein Kind?
Der Graf vom Strahl.   – Es ist die Jungfrau,
      Die heut mit so viel Eifer uns gedient.   3
Kunigunde.
      Bei Gott, und wenns des Kaisers Tochter wäre!
      – Was fürchtet Ihr? Das Haus, wenn es gleich brennt,
      Steht, wie ein Fels, auf dem Gebälke noch;
      Sie wird, auf diesem Gang, nicht gleich verderben.   3
      Die Treppe war noch unberührt vom Strahl;
      Rauch ist das einzge Übel, das sie findet.

K ä t h c h e n *(erscheint in einem brennenden Fenster).*
>Mein Fräulein! He! Hilf Gott! Der Rauch erstickt mich!
>– Es ist der rechte Schlüssel nicht.
D e r G r a f v o m S t r a h l *(zu Kunigunden).*
>Tod und Teufel!
>Warum regiert Ihr Eure Hand nicht besser?
K u n i g u n d e. Der rechte Schlüssel nicht?
K ä t h c h e n *(mit schwacher Stimme).* Hilf Gott! Hilf Gott!
D e r G r a f v o m S t r a h l.
>Komm herab, mein Kind!
K u n i g u n d e.   Laßt, laßt!
D e r G r a f v o m S t r a h l.   Komm herab, sag ich!
>Was sollst du ohne Schlüssel dort? Komm herab!
K u n i g u n d e.
>Laßt einen Augenblick –!
D e r G r a f v o m S t r a h l. Wie? Was, zum Teufel!
K u n i g u n d e. Der Schlüssel, liebes Herzens-Töchterchen,
>Hängt, jetzt erinn' ich michs, am Stift des Spiegels,
>Der überm Putztisch glänzend eingefugt!
K ä t h c h e n. Am Spiegelstift?
D e r G r a f v o m S t r a h l.
>   Beim Gott der Welt! Ich wollte,
>Er hätte nie gelebt, der mich gezeichnet,
>Und er, der mich gemacht hat, obenein!
>– So such!
K u n i g u n d e.
>   Mein Augenlicht! Am Putztisch, hörst du?
K ä t h c h e n *(indem sie das Fenster verläßt).*
>Wo ist der Putztisch? Voller Rauch ist alles.
D e r G r a f v o m S t r a h l.
>Such!
K u n i g u n d e. An der Wand rechts.
K ä t h c h e n *(unsichtbar).*   Rechts?
D e r G r a f v o m S t r a h l.   Such, sag ich!
K ä t h c h e n *(schwach).*
>Hilf Gott! Hilf Gott! Hilf Gott!
D e r G r a f v o m S t r a h l.   Ich sage, such! –
>Verflucht die hündische Dienstfertigkeit!
F l a m m b e r g.
>Wenn sie nicht eilt: das Haus stürzt gleich zusammen!

Der Graf vom Strahl.
  Schafft eine Leiter her!
Kunigunde.   Wie, mein Geliebter?
Der Graf vom Strahl.
  Schafft eine Leiter her! Ich will hinauf.
Kunigunde.
  Mein teurer Freund! Ihr selber wollt –?
Der Graf vom Strahl.   Ich bitte!
  Räumt mir den Platz! Ich will das Bild Euch schaffen.
Kunigunde.
  Harrt einen Augenblick noch, ich beschwör Euch.
  Sie bringt es gleich herab.
Der Graf vom Strahl.   Ich sage, laßt mich! –
  Putztisch und Spiegel ist, und Nagelstift,
  Ihr unbekannt, mir nicht; ich finds heraus,
  Das Bild von Kreid und Öl auf Leinewand,
  Und brings Euch her, nach Eures Herzens Wunsch.
        (Vier Knechte bringen eine Feuerleiter.)
  – Hier! Legt die Leiter an!
Erster Knecht *(vorn, indem er sich umsieht).*
                                Holla! Da hinten!
Ein anderer *(zum Grafen).*
  Wo?
Der Graf vom Strahl.
        Wo das Fenster offen ist.
Die Knechte *(heben die Leiter auf).*   O ha!
Der erste *(vorn).*
  Blitz! Bleibt zurück, ihr hinten da! Was macht ihr?
  Die Leiter ist zu lang!
Die anderen *(hinten).*   Das Fenster ein!
  Das Kreuz des Fensters eingestoßen! So!
Flammberg *(der mit geholfen).*
  Jetzt steht die Leiter fest und rührt sich nicht!
Der Graf vom Strahl *(wirft sein Schwert weg).*
  Wohlan denn!
Kunigunde.   Mein Geliebter! Hört mich an!
Der Graf vom Strahl.
  Ich bin gleich wieder da!
        (Er setzt einen Fuß auf die Leiter.)
Flammberg *(aufschreiend).*   Halt! Gott im Himmel!

K u n i g u n d e *(eilt erschreckt von der Leiter weg).*
     Was gibts?
D i e K n e c h t e.   Das Haus sinkt! Fort zurücke!
A l l e.
5   Heiland der Welt! Da liegts in Schutt und Trümmern!
*(Das Haus sinkt zusammen, der Graf wendet sich, und
drückt beide Hände vor die Stirne; alles, was auf der Bühne
ist, weicht zurück und wendet sich gleichfalls ab. – Pause.)*

                    VIERZEHNTER AUFTRITT

10 *Käthchen tritt rasch, mit einer Papierrolle, durch ein großes
Portal, das stehen geblieben ist, auf; hinter ihr ein Cherub
in der Gestalt eines Jünglings, von Licht umflossen, blond-
lockig, Fittiche an den Schultern und einen Palmzweig in
der Hand.*

15 K ä t h c h e n *(so wie sie aus dem Portal ist, kehrt sie sich,
     und stürzt vor ihm nieder).*
          Schirmt mich, ihr Himmlischen! Was widerfährt mir?
D e r C h e r u b *(berührt ihr Haupt mit der Spitze des
     Palmenzweigs, und verschwindet).*
20   *(Pause.)*

                    FÜNFZEHNTER AUFTRITT

          Die Vorigen ohne den Cherub.

K u n i g u n d e *(sieht sich zuerst um).*
          Nun, beim lebendgen Gott, ich glaub, ich träume! –
25   Mein Freund! Schaut her!
D e r G r a f v o m S t r a h l *(vernichtet).*
                              Flammberg!
     (Er stützt sich auf seine Schulter.)
K u n i g u n d e.   Ihr Vettern! Tanten! –
30   Herr Graf! so hört doch an!
D e r G r a f v o m S t r a h l *(schiebt sie von sich).*
                              Geht, geht! – – Ich bitt Euch!
K u n i g u n d e. Ihr Toren! Seid ihr Säulen Salz geworden?
     Gelöst ist alles glücklich.

Der Graf vom Strahl *(mit abgewandtem Gesicht).*
>   Trostlos mir!
>   Die Erd hat nichts mehr Schönes. Laßt mich sein.

Flammberg *(zu den Knechten).*
>   Rasch, Brüder, rasch!

Ein Knecht.   Herbei, mit Hacken, Spaten!

Ein anderer.
>   Laßt uns den Schutt durchsuchen, ob sie lebt!

Kunigunde *(scharf).*
>   Die alten, bärtgen Gecken, die! das Mädchen,
>   Das sie verbrannt zur Feuersasche glauben,
>   Frisch und gesund am Boden liegt sie da,
>   Die Schürze kichernd vor dem Mund, und lacht!

Der Graf vom Strahl *(wendet sich).*
>   Wo?

Kunigunde. Hier!

Flammberg.   Nein, sprecht! Es ist nicht möglich.

Die Tanten. Das Mädchen wär –?

Alle.   O Himmel! Schaut! Da liegt sie.

Der Graf vom Strahl *(tritt zu ihr und betrachtet sie).*
>   Nun über dich schwebt Gott mit seinen Scharen!
>   *(Er erhebt sie vom Boden.)*
>   Wo kommst du her?

Käthchen.   Weiß nit, mein hoher Herr.

Der Graf vom Strahl.
>   Hier stand ein Haus, dünkt mich, und du warst drin.
>   – Nicht? Wars nicht so?

Flammberg.   – Wo warst du als es sank?

Käthchen. Weiß nit, ihr Herren, was mir widerfahren.
>   *(Pause.)*

Der Graf vom Strahl.
>   Und hat noch obenein das Bild.
>   *(Er nimmt ihr die Rolle aus der Hand.)*

Kunigunde *(reißt sie an sich).* Wo?

Der Graf vom Strahl.   Hier.

Kunigunde *(erblaßt).*

Der Graf vom Strahl.
>   Nicht? Ists das Bild nicht? – Freilich!

Die Tanten.   Wunderbar!

Flammberg. Wer gab dir es? Sag an!

Kunigunde (indem sie ihr mit der Rolle einen Streich
     auf die Backen gibt).   Die dumme Trine!
     Hatt ich ihr nicht gesagt, das Futteral?
Der Graf vom Strahl.
     Nun, beim gerechten Gott, das muß ich sagen –!
     – Ihr wolltet das Futtral?
Kunigunde.   Ja und nichts anders!
     Ihr hattet Euren Namen drauf geschrieben;
     Es war mir wert, ich hatts ihr eingeprägt.
Der Graf vom Strahl.
     Wahrhaftig, wenn es sonst nichts war –
Kunigunde.   So? Meint Ihr?
     Das kommt zu prüfen *mir* zu und nicht *Euch*.
Der Graf vom Strahl.
     Mein Fräulein, Eure Güte macht mich stumm.
Kunigunde (zu Käthchen).
     Warum nahmst dus heraus, aus dem Futteral?
Der Graf vom Strahl.
     Warum nahmst dus heraus, mein Kind?
Käthchen.   Das Bild?
Der Graf vom Strahl.   Ja!
Käthchen. Ich nahm es nicht heraus, mein hoher Herr.
     Das Bild, halb aufgerollt, im Schreibtischwinkel,
     Den ich erschloß, lag neben dem Futtral.
Kunigunde. Fort! – das Gesicht der Äffin!
Der Graf vom Strahl.   Kunigunde! –
Käthchen. Hätt ichs hinein erst wieder ordentlich
     In das Futtral –?
Der Graf vom Strahl.
                      Nein, nein, mein liebes Käthchen!
     Ich lobe dich, du hast es recht gemacht.
     Wie konntest du den Wert der Pappe kennen?
Kunigunde. Ein Satan leitet' ihr die Hand.
Der Graf vom Strahl.   Sei ruhig! –
     Das Fräulein meint es nicht so bös. – Tritt ab.
Käthchen.
     Wenn *du* mich nur nicht schlägst, mein hoher Herr!
     (Sie geht zu Flammberg und mischt sich im Hintergrund
     unter die Knechte.)

SECHZEHNTER AUFTRITT

Die Herren von Thurneck. Die Vorigen.

Ritter von Thurneck.
      Triumph, ihr Herrn! Der Sturm ist abgeschlagen!
      Der Rheingraf zieht mit blutgem Schädel heim!
Flammberg.
      Was! Ist er fort?
Volk.   Heil, Heil!
Der Graf vom Strahl.   Zu Pferd, zu Pferd!
      Laßt uns den Sturzbach ungesäumt erreichen,
      So schneiden wir die ganze Rotte ab!
                  (Alle ab.)

VIERTER AKT

Szene: Gegend im Gebirg, mit Wasserfällen und einer
Brücke.

ERSTER AUFTRITT

*Der Rheingraf vom Stein, zu Pferd, zieht mit einem Troß
Fußvolk über die Brücke. Ihnen folgt der Graf vom Strahl
zu Pferd; bald darauf Ritter Flammberg mit Knechten und
Reisigen zu Fuß. Zuletzt Gottschalk gleichfalls zu Pferd,
neben ihm das Käthchen.*

R h e i n g r a f *(zu dem Troß).* Über die Brücke, Kinder,
über die Brücke! Dieser Wetter vom Strahl kracht, wie
vom Sturmwind getragen, hinter uns drein; wir müssen
die Brücke abwerfen, oder wir sind alle verloren! *(Er reitet über die Brücke.)*
K n e c h t e d e s R h e i n g r a f e n *(folgen ihm).* Reißt
die Brücke nieder! *(Sie werfen die Brücke ab.)*
D e r G r a f v o m S t r a h l *(erscheint in der Szene, sein
Pferd tummelnd).* Hinweg! – Wollt ihr den Steg unberührt lassen?
K n e c h t e d e s R h e i n g r a f e n *(schießen mit Pfeilen
auf ihn).* Hei! Diese Pfeile zur Antwort dir!
D e r G r a f v o m S t r a h l *(wendet das Pferd).* Meu-
chelmörder! – He! Flammberg!
K ä t h c h e n *(hält eine Rolle in die Höhe).* Mein hoher
Herr!
D e r G r a f v o m S t r a h l *(zu Flammberg).* Die Schüt-
zen her!
R h e i n g r a f *(über den Fluß rufend).* Auf Wiedersehn,
Herr Graf! Wenn Ihr schwimmen könnt, so schwimmt;
auf der Steinburg, diesseits der Brücke, sind wir zu finden.
(Ab mit dem Troß.)
D e r G r a f v o m S t r a h l. Habt Dank ihr Herrn!
Wenn der Fluß trägt, so sprech ich bei euch ein! *(Er reitet
hindurch.)*

Ein Knecht *(aus seinem Troß).* Halt! zum Henker! nehmt Euch in acht!

Käthchen *(am Ufer zurückbleibend).* Herr Graf vom Strahl!

Ein anderer Knecht. Schafft Balken und Bretter her!

Flammberg. Was! bist du ein Jud?

Alle. Setzt hindurch! Setzt hindurch! *(Sie folgen ihm.)*

Der Graf vom Strahl. Folgt! Folgt! Es ist ein Forellenbach, weder breit noch tief! So recht! So recht! Laßt uns das Gesindel völlig in die Pfanne hauen! *(Ab mit dem Troß.)*

Käthchen. Herr Graf vom Strahl! Herr Graf vom Strahl!

Gottschalk *(wendet mit dem Pferde um).* Ja, was lärmst und schreist du? – Was hast du hier im Getümmel zu suchen? Warum läufst du hinter uns drein?

Käthchen *(hält sich an einem Stamm).* Himmel!

Gottschalk *(indem er absteigt).* Komm! Schürz und schwinge dich! Ich will das Pferd an die Hand nehmen, und dich hindurch führen.

Der Graf vom Strahl *(hinter der Szene).* Gottschalk!

Gottschalk. Gleich, gnädiger Herr, gleich! Was befehlt Ihr?

Der Graf vom Strahl. Meine Lanze will ich haben!

Gottschalk *(hilft das Käthchen in den Steigbügel).* Ich bringe sie schon!

Käthchen. Das Pferd ist scheu.

Gottschalk *(reißt das Pferd in den Zügel).* Steh, Mordmähre! – – – So zieh dir Schuh und Strümpfe aus!

Käthchen *(setzt sich auf einen Stein).* Geschwind!

Der Graf vom Strahl *(außerhalb).* Gottschalk!

Gottschalk. Gleich, gleich! Ich bringe die Lanze schon. – Was hast du denn da in der Hand?

Käthchen *(indem sie sich auszieht).* Das Futteral, Lieber, das gestern – nun!

Gottschalk. Was! Das im Feuer zurück blieb?

Käthchen. Freilich! Um das ich gescholten ward. Früh

morgens, im Schutt, heut sucht ich nach und durch Gottes
Fügung – – nun, so! *(Sie zerrt sich am Strumpf.)*
Gottschalk. Je, was der Teufel! *(Er nimmt es ihr aus
der Hand.)* Und unversehrt, bei meiner Treu, als wärs
Stein! – Was steckt denn drin?
Käthchen. Ich weiß nicht.
Gottschalk *(nimmt ein Blatt heraus).* »Akte, die
Schenkung, Stauffen betreffend, von Friedrich Grafen
vom Strahl« – Je, verflucht!
Der Graf vom Strahl *(draußen).* Gottschalk!
Gottschalk. Gleich, gnädiger Herr, gleich!
Käthchen *(steht auf).* Nun bin ich fertig!
Gottschalk. Nun, das mußt du dem Grafen geben!
(Er gibt ihr das Futtral wieder.) Komm, reich mir die
Hand, und folg mir! *(Er führt sie und das Pferd durch
den Bach.)*
Käthchen *(mit dem ersten Schritt ins Wasser).* Ah!
Gottschalk. Du mußt dich ein wenig schürzen.
Käthchen. Nun, bei Leibe, schürzen nicht! *(Sie steht
still.)*
Gottschalk. Bis an den Zwickel nur, Käthchen!
Käthchen. Nein! Lieber such ich mir einen Steg! *(Sie
kehrt um.)*
Gottschalk *(hält sie).* Bis an den Knöchel nur, Kind!
bis an die äußerste, unterste Kante der Sohle!
Käthchen. Nein, nein, nein, nein; ich bin gleich wieder
bei dir! *(Sie macht sich los, und läuft weg.)*
Gottschalk *(kehrt aus dem Bach zurück, und ruft ihr
nach).* Käthchen! Käthchen! Ich will mich umkehren! Ich
will mir die Augen zuhalten! Käthchen! Es ist kein Steg
auf Meilenweite zu finden! – – Ei so wollt ich, daß ihr
der Gürtel platzte! Da läuft sie am Ufer entlang, der
Quelle zu, den weißen schroffen Spitzen der Berge; mein
Seel, wenn sich kein Fährmann ihrer erbarmt, so geht sie
verloren!
Der Graf vom Strahl *(draußen).* Gottschalk! Himmel und Erde! Gottschalk!
Gottschalk. Ei, so schrei du! – – Hier, gnädiger Herr;
ich komme schon. *(Er leitet sein Pferd mürrisch durch den
Bach. – Ab.)*

Szene: Schloß Wetterstrahl. Platz, dicht mit Bäumen bewachsen, am äußeren zerfallenen Mauerring der Burg.
Vorn ein Holunderstrauch, der eine Art von natürlicher
Laube bildet, worunter von Feldsteinen, mit einer Stroh-
matte bedeckt, ein Sitz. An den Zweigen sieht man ein
Hemdchen und ein Paar Strümpfe usw. zum Trocknen auf-
gehängt.

ZWEITER AUFTRITT

Käthchen liegt und schläft. Der Graf vom Strahl tritt auf.

Der Graf vom Strahl *(indem er das Futteral in den
Busen steckt).* Gottschalk, der mir dies Futteral gebracht,
hat mir gesagt, das Käthchen wäre wieder da. Kunigunde
zog eben, weil ihre Burg niedergebrannt ist, in die Tore
der meinigen ein; da kommt er und spricht: unter dem
Holunderstrauch läge sie wieder da, und schliefe; und bat
mich, mit tränenden Augen, ich möchte ihm doch erlau-
ben, sie in den Stall zu nehmen. Ich sagte, bis der alte
Vater, der Theobald sich aufgefunden, würd ich ihr in
der Herberge ein Unterkommen verschaffen; und indes-
sen hab ich mich herabgeschlichen, um einen Entwurf mit
ihr auszuführen. – Ich *kann* diesem Jammer nicht mehr
zusehen. Dies Mädchen, bestimmt, den herrlichsten Bürger
von Schwaben zu beglücken, wissen will ich, warum ich
verdammt bin, sie einer Metze gleich, mit mir herum zu
führen; wissen, warum sie hinter mir herschreitet, einem
Hunde gleich, durch Feuer und Wasser, mir Elenden, der
nichts für sich hat, als das Wappen auf seinem Schild. – Es
ist mehr, als der bloße sympathetische Zug des Herzens;
es ist irgend von der Hölle angefacht, ein Wahn, der in
ihrem Busen sein Spiel treibt. So oft ich sie gefragt habe:
Käthchen! Warum erschrakst du doch so, als du mich zuerst in Heilbronn sahst? hat sie mich immer zerstreut angesehen, und dann geantwortet: Ei, gestrenger Herr! Ihr
wißts ja! – – – Dort ist sie! – Wahrhaftig, wenn ich sie so
daliegen sehe, mit roten Backen und verschränkten Händ-
chen, so kommt die ganze Empfindung der Weiber über
mich, und macht meine Tränen fließen. Ich will gleich
sterben, wenn sie mir nicht die Peitsche vergeben hat –

ach! was sag ich? wenn sie nicht im Gebet für mich, der
sie mißhandelte, eingeschlafen! – – – Doch rasch, ehe Gottschalk kommt, und mich stört. Dreierlei hat er mir gesagt:
einmal, daß sie einen Schlaf hat, wie ein Murmeltier,
zweitens, daß sie, wie ein Jagdhund, immer träumt, und
drittens, daß sie im Schlaf spricht; und auf diese Eigen-
schaften hin, will ich meinen Versuch gründen. – Tue ich
eine Sünde, so mag sie mir Gott verzeihen.
(Er läßt sich auf Knieen vor ihr nieder und legt seine beiden
Arme sanft um ihren Leib. – Sie macht eine Bewegung als
ob sie erwachen wollte, liegt aber gleich wieder still.)
Der Graf vom Strahl.
    Käthchen! Schläfst du?
Käthchen.   Nein, mein verehrter Herr.
              (Pause.)
Der Graf vom Strahl.
    Und doch hast du die Augenlider zu.
Käthchen. Die Augenlider?
Der Graf vom Strahl.   Ja; und fest, dünkt mich.
Käthchen. – Ach, geh!
Der Graf vom Strahl.
              Was! Nicht? Du hättst die Augen auf?
Käthchen. Groß auf, so weit ich kann, mein bester Herr;
    Ich sehe dich ja, wie du zu Pferde sitzest.
Der Graf vom Strahl.
    So! – Auf dem Fuchs – nicht?
Käthchen.   Nicht doch! Auf dem Schimmel.
              (Pause.)
Der Graf vom Strahl.
    Wo bist du denn, mein Herzchen? Sag mir an.
Käthchen. Auf einer schönen grünen Wiese bin ich,
    Wo alles bunt und voller Blumen ist.
Der Graf vom Strahl.
    Ach, die Vergißmeinnicht! Ach, die Kamillen!
Käthchen.
    Und hier die Veilchen; schau! ein ganzer Busch.
Der Graf vom Strahl.
    Ich will vom Pferde niedersteigen, Käthchen,
    Und mich ins Gras ein wenig zu dir setzen.
    – Soll ich?

K ä t h c h e n.   Das tu, mein hoher Herr.
D e r G r a f v o m S t r a h l *(als ob er riefe).*

                          He, Gottschalk! –
    Wo laß ich doch das Pferd? – Gottschalk! Wo bist du?
K ä t h c h e n. Je, laß es stehn. Die Liese läuft nicht weg.
D e r G r a f v o m S t r a h l *(lächelt).*
    Meinst du? – Nun denn, so seis!
         (Pause. – Er rasselt mit seiner Rüstung.)
                        Mein liebes Käthchen!
    (Er faßt ihre Hand.)
K ä t h c h e n. Mein hoher Herr!
D e r G r a f v o m S t r a h l. Du bist mir wohl recht gut.
K ä t h c h e n. Gewiß! Von Herzen.
D e r G r a f v o m S t r a h l.   Aber *ich* – was meinst du?
    Ich nicht.
K ä t h c h e n *(lächelnd).*
              O Schelm!
D e r G r a f v o m S t r a h l.
               Was, Schelm! Ich hoff –?
K ä t h c h e n.   O geh! –
    Verliebt ja, wie ein Käfer, bist du mir.
D e r G r a f v o m S t r a h l.
    Ein Käfer! Was! Ich glaub du bist –?
K ä t h c h e n.   Was sagst du?
D e r G r a f v o m S t r a h l *(mit einem Seufzer).*
    Ihr Glaub ist, wie ein Turm, so fest gegründet! –
    Seis! Ich ergebe mich darin. – Doch, Käthchen,
    Wenns ist, wie du mir sagst –
K ä t h c h e n.   Nun? Was beliebt?
D e r G r a f v o m S t r a h l.
    Was, sprich, was soll draus werden?
K ä t h c h e n.   Was draus soll werden?
D e r G r a f v o m S t r a h l.
    Ja! hast dus schon bedacht?
K ä t h c h e n.   Je, nun.
D e r G r a f v o m S t r a h l.   – Was heißt das?
K ä t h c h e n. Zu Ostern, übers Jahr, wirst du mich heuern.
D e r G r a f v o m S t r a h l *(das Lachen verbeißend).*
    So! Heuern! In der Tat! Das wußt ich nicht!
    Kathrinchen, schau! – Wer hat dir das gesagt?

K ä t h c h e n. Das hat die Mariane mir gesagt.
D e r G r a f v o m S t r a h l.
 So! Die Mariane! Ei! – Wer ist denn das?
K ä t h c h e n.
 Das ist die Magd, die sonst das Haus uns fegte.
D e r G r a f v o m S t r a h l.
 Und die, die wußt es wiederum – von wem?
K ä t h c h e n. Die sahs im Blei, das sie geheimnisvoll
 In der Silvesternacht, mir zugegossen.
D e r G r a f v o m S t r a h l.
 Was du mir sagst! Da prophezeite sie –?
K ä t h c h e n.
 Ein großer, schöner Ritter würd mich heuer.
D e r G r a f v o m S t r a h l.
 Und nun meinst du so frischweg, das sei ich?
K ä t h c h e n.
 Ja, mein verehrter Herr.

(Pause.)

D e r G r a f v o m S t r a h l *(gerührt).*
       – Ich will dir sagen,
 Mein Kind, ich glaub, es ist ein anderer.
 Der Ritter Flammberg. Oder sonst. Was meinst du?
K ä t h c h e n.
 Nein, nein!
D e r G r a f v o m S t r a h l.
   Nicht?
K ä t h c h e n.   Nein, nein, nein!
D e r G r a f v o m S t r a h l.   Warum nicht? Rede!
K ä t h c h e n. – Als ich zu Bett ging, da das Blei gegossen,
 In der Silvesternacht, bat ich zu Gott,
 Wenns wahr wär, was mir die Mariane sagte,
 Möcht er den Ritter mir im Traume zeigen.
 Und da erschienst du ja, um Mitternacht,
 Leibhaftig, wie ich jetzt dich vor mir sehe,
 Als deine Braut mich liebend zu begrüßen.
D e r G r a f v o m S t r a h l.
 Ich wär dir –? Herzchen! Davon weiß ich nichts.
 – Wann hätt ich dich –?
K ä t h c h e n.   In der Silvesternacht.
 Wenn wiederum Silvester kommt, zwei Jahr.

Der Graf vom Strahl.
>   Wo? In dem Schloß zu Strahl?

Käthchen.   Nicht! In Heilbronn;
>   Im Kämmerlein, wo mir das Bette steht.

Der Graf vom Strahl.
>   Was du da schwatzst, mein liebes Kind. – Ich lag
>   Und obenein todkrank, im Schloß zu Strahl.
>   *(Pause. – Sie seufzt, bewegt sich, und lispelt etwas.)*

Der Graf vom Strahl.
>   Was sagst du?

Käthchen.   Wer?

Der Graf vom Strahl. Du!

Käthchen.   Ich? Ich sagte nichts.
>   *(Pause.)*

Der Graf vom Strahl *(für sich).*
>   Seltsam, beim Himmel! In der Silvesternacht –
>   *(Er träumt vor sich nieder.)*
>   – Erzähl mir doch etwas davon, mein Käthchen!
>   Kam ich allein?

Käthchen.   Nein, mein verehrter Herr.

Der Graf vom Strahl.
>   Nicht? – Wer war bei mir?

Käthchen.   Ach, so geh!

Der Graf vom Strahl.   So rede!

Käthchen. Das weißt du nicht mehr?

Der Graf vom Strahl.   Nein, so wahr ich lebe.

Käthchen. Ein Cherubim, mein hoher Herr, war bei dir,
>   Mit Flügeln, weiß wie Schnee, auf beiden Schultern,
>   Und Licht – o Herr! das funkelte! das glänzte! –
>   Der führt', an seiner Hand, dich zu mir ein.

Der Graf vom Strahl *(starrt sie an).*
>   So wahr, als ich will selig sein, ich glaube,
>   Da hast du recht!

Käthchen.   Ja, mein verehrter Herr.

Der Graf vom Strahl *(mit beklemmter Stimme).*
>   Auf einem härnen Kissen lagst du da,
>   Das Bettuch weiß, die wollne Decke rot?

Käthchen. Ganz recht! so wars!

Der Graf vom Strahl.
>   Im bloßen leichten Hemdchen?

Käthchen.
>Im Hemdchen? – Nein.
Der Graf vom Strahl.
>Was! Nicht?
Käthchen.   Im leichten Hemdchen?
Der Graf vom Strahl. Mariane, riefst du?
Käthchen.   Mariane, rief ich!
>Geschwind! Ihr Mädchen! Kommt doch her, Christine!
Der Graf vom Strahl.
>Sahst groß, mit schwarzem Aug, mich an?
Käthchen.
>Ja, weil ich glaubt, es wär ein Traum.
Der Graf vom Strahl.   Stiegst langsam,
>An allen Gliedern zitternd, aus dem Bett,
>Und sankst zu Füßen mir –?
Käthchen.   Und flüsterte –
Der Graf vom Strahl *(unterbricht sie)*.
>Und flüstertest, mein hochverehrter Herr!
Käthchen *(lächelnd)*.
>Nun! Siehst du wohl? – Der Engel zeigte dir –
Der Graf vom Strahl.
>Das Mal – Schützt mich, ihr Himmlischen! Das hast du?
Käthchen. Je, freilich!
Der Graf vom Strahl *(reißt ihr das Tuch ab)*.
>Wo? Am Halse?
Käthchen *(bewegt sich)*.   Bitte, bitte.
Der Graf vom Strahl.
>O ihr Urewigen! – Und als ich jetzt,
>Dein Kinn erhob, ins Antlitz dir zu schauen?
Käthchen. Ja, da kam die unselige Mariane
>Mit Licht – – – und alles war vorbei;
>Ich lag im Hemdchen auf der Erde da,
>Und die Mariane spottete mich aus.
Der Graf vom Strahl.
>Nun steht mir bei, ihr Götter: ich bin doppelt!
>Ein Geist bin ich und wandele zur Nacht!
>*(Er läßt sie los und springt auf.)*
Käthchen *(erwacht)*.
>Gott, meines Lebens Herr! Was widerfährt mir!
>*(Sie steht auf und sieht sich um.)*

Der Graf vom Strahl.
Was mir ein Traum schien, nackte Wahrheit ists:
Im Schloß zu Strahl, todkrank am Nervenfieber,
Lag ich danieder, und hinweggeführt,
Von einem Cherubim, besuchte sie
Mein Geist in ihrer Klause zu Heilbronn!
Käthchen. Himmel! Der Graf! *(Sie setzt sich den Hut
auf, und rückt sich das Tuch zurecht.)*
Der Graf vom Strahl. Was tu ich jetzt? Was laß ich?
(Pause.)
Käthchen *(fällt auf ihre beiden Kniee nieder).*
Mein hoher Herr, hier lieg ich dir zu Füßen,
Gewärtig dessen, was du mir verhängst!
An deines Schlosses Mauer fandst du mich,
Trotz des Gebots, das du mir eingeschärft;
Ich schwörs, es war ein Stündchen nur zu ruhn,
Und jetzt will ich gleich wieder weiter gehn.
Der Graf vom Strahl.
Weh mir! Mein Geist, von Wunderlicht geblendet,
Schwankt an des Wahnsinns grausem Hang umher!
Denn wie begreif ich die Verkündigung,
Die mir noch silbern wiederklingt im Ohr,
Daß sie die Tochter meines Kaisers sei?
Gottschalk *(draußen).*
Käthchen! He, junge Maid!
Der Graf vom Strahl *(erhebt sie rasch vom Boden).*
Geschwind erhebe dich!
Mach dir das Tuch zurecht! Wie siehst du aus?

DRITTER AUFTRITT

Gottschalk tritt auf. Die Vorigen.

Der Graf vom Strahl.
Gut, Gottschalk, daß du kommst! Du fragtest mich,
Ob du die Jungfrau in den Stall darfst nehmen;
Das aber schickt aus manchem Grund sich nicht;
Die Friedborn zieht aufs Schloß zu meiner Mutter.
Gottschalk.
Wie? Was? Wo? – Oben auf das Schloß hinauf?

Der Graf vom Strahl.
>Ja, und das gleich! Nimm ihre Sachen auf,
>Und auf dem Pfad zum Schlosse folg ihr nach.

Gottschalk.
>Gotts Blitz auch, Käthchen! hast du das gehört?

Käthchen *(mit einer zierlichen Verbeugung)*.
>Mein hochverehrter Herr! Ich nehm es an,
>Bis ich werd wissen, wo mein Vater ist.

Der Graf vom Strahl.
>Gut, gut! Ich werd mich gleich nach ihm erkundgen.

(Gottschalk bindet die Sachen zusammen; Käthchen hilft ihm).
>Nun? Ists geschehn? *(Er nimmt ein Tuch vom Boden
>auf, und übergibt es ihr.)*

Käthchen *(errötend)*. Was! Du bemühst dich mir?
>   *(Gottschalk nimmt das Bündel in die Hand.)*

Der Graf vom Strahl. Gib deine Hand!

Käthchen.   Mein hochverehrter Herr!
*(Er führt sie über die Steine; wenn sie hinüber ist, läßt er sie
>   vorangehen und folgt. – Alle ab.)*

Szene: Garten. Im Hintergrunde eine Grotte, im gotischen
Stil.

VIERTER AUFTRITT

*Kunigunde, von Kopf zu Fuß in einen feuerfarbnen Schleier
verhüllt, und Rosalie treten auf.*

Kunigunde. Wo ritt der Graf vom Strahl hin?

Rosalie. Mein Fräulein, es ist dem ganzen Schloß un-
begreiflich. Drei kaiserliche Kommissarien kamen spät in
der Nacht, und weckten ihn auf; er verschloß sich mit
ihnen, und heut, bei Anbruch des Tages schwingt er sich
aufs Pferd, und verschwindet.

Kunigunde. Schließ mir die Grotte auf.

Rosalie. Sie ist schon offen.

Kunigunde. Ritter Flammberg, hör ich, macht dir den
Hof; zu Mittag, wann ich mich gebadet und angekleidet,
werd ich dich fragen, was dieser Vorfall zu bedeuten?
(Ab in die Grotte.)

FÜNFTER AUFTRITT

Fräulein Eleonore tritt auf, Rosalie.

E l e o n o r e. Guten Morgen, Rosalie.

R o s a l i e. Guten Morgen, mein Fräulein! – Was führt
Euch so früh schon hierher?

E l e o n o r e. Ei, ich will mich mit Käthchen, dem kleinen,
holden Gast, den uns der Graf ins Schloß gebracht, weil
die Luft so heiß ist, in dieser Grotte baden.

R o s a l i e. Vergebt! – Fräulein Kunigunde ist in der
Grotte.

E l e o n o r e. Fräulein Kunigunde? – Wer gab euch den
Schlüssel?

R o s a l i e. Den Schlüssel? – Die Grotte war offen.

E l e o n o r e. Habt ihr das Käthchen nicht darin gefunden?

R o s a l i e. Nein, mein Fräulein. Keinen Menschen.

E l e o n o r e. Ei, das Käthchen, so wahr ich lebe, ist drin!

R o s a l i e. In der Grotte? Unmöglich!

E l e o n o r e. Wahrhaftig! In der Nebenkammern eine, die
dunkel und versteckt sind. – Sie war vorangegangen; ich
sagte nur, als wir an die Pforte kamen, ich wollte mir ein
Tuch von der Gräfin zum Trocknen holen. – O Herr meines Lebens; da ist sie schon!

SECHSTER AUFTRITT

Käthchen aus der Grotte. Die Vorigen.

R o s a l i e *(für sich)*. Himmel! Was seh ich dort?

K ä t h c h e n *(zitternd)*.   Eleonore!

E l e o n o r e. Ei, Käthchen! Bist du schon im Bad gewesen?
Schaut, wie das Mädchen funkelt, wie es glänzet!
Dem Schwane gleich, der in die Brust geworfen,
Aus des Kristallsees blauen Fluten steigt!
– Hast du die jungen Glieder dir erfrischt?

K ä t h c h e n. Eleonore! Komm hinweg.

E l e o n o r e.   Was fehlt dir?

R o s a l i e *(schreckenblaß)*.
Wo kommst du her? Aus jener Grotte dort?
Du hattest in den Gängen dich versteckt?

K ä t h c h e n. Eleonore! Ich beschwöre dich!
K u n i g u n d e *(im Innern der Grotte).*
    Rosalie!
R o s a l i e.   Gleich, mein Fräulein!
    (Zu Käthchen).   Hast sie gesehn?
E l e o n o r e. Was gibts? Sag an! – Du bleichst?
K ä t h c h e n *(sinkt in ihre Arme).*   Eleonore!
E l e o n o r e.
    Hilf, Gott im Himmel! Käthchen! Kind! Was fehlt dir?
K u n i g u n d e *(in der Grotte).*
    Rosalie!
R o s a l i e *(zu Käthchen).*
        Nun, beim Himmel! Dir wär besser,
    Du rissest dir die Augen aus, als daß sie
    Der Zunge anvertrauten, was sie sahn!
    (Ab in die Grotte.)

SIEBENTER AUFTRITT

Käthchen und Eleonore.

E l e o n o r e.
    Was ist geschehn, mein Kind? Was schilt man dich?
    Was macht an allen Gliedern so dich zittern?
    Wär dir der Tod, in jenem Haus, erschienen,
    Mit Hipp und Stundenglas, von Schrecken könnte
    Dein Busen grimmiger erfaßt nicht sein!
K ä t h c h e n. Ich will dir sagen – *(Sie kann nicht sprechen.)*
E l e o n o r e.   Nun, sag an! Ich höre.
K ä t h c h e n. – Doch du gelobst mir, nimmermehr, Lenore,
    Wem es auch sei, den Vorfall zu entdecken.
E l e o n o r e. Nein, keiner Seele; nein! Verlaß dich drauf.
K ä t h c h e n. Schau, in die Seitengrotte hatt ich mich,
    Durch die verborgne Türe eingeschlichen;
    Das große Prachtgewölb war mir zu hell.
    Und nun, da mich das Bad erquickt, tret ich
    In jene größre Mitte scherzend ein,
    Und denke du, du seists, die darin rauscht:
    Und eben von dem Rand ins Becken steigend,
    Erblickt mein Aug –

Eleonore.   Nun, was? wen? Sprich!
Käthchen.   Was sag ich!
      Du mußt sogleich zum Grafen, Leonore,
      Und von der ganzen Sach ihn unterrichten.
Eleonore. Mein Kind! Wenn ich nur wüßte, was es wäre?
Käthchen.
      – Doch ihm nicht sagen, nein, ums Himmels willen,
      Daß es von mir kommt. Hörst du? Eher wollt ich,
      Daß er den Greuel nimmermehr entdeckte.
Eleonore.
      In welchen Rätseln sprichst du, liebstes Käthchen?
      Was für ein Greul? Was ists, das du erschaut?
Käthchen. Ach, Leonor', ich fühle, es ist besser,
      Das Wort kommt über meine Lippen nie!
      Durch mich kann er, durch mich, enttäuscht nicht
                                          werden!
Eleonore.
      Warum nicht? Welch ein Grund ist, ihm zu bergen –?
      Wenn du nur sagtest –
Käthchen (wendet sich).   Horch!
Eleonore.   Was gibts?
Käthchen.   Es kommt!
Eleonore. Das Fräulein ists, sonst niemand, und Rosalie.
Käthchen. Fort! Gleich! Hinweg!
Eleonore.   Warum?
Käthchen.   Fort, Rasende!
Eleonore. Wohin?
Käthchen.   Hier fort, aus diesem Garten will ich –
Eleonore. Bist du bei Sinnen?
Käthchen.   Liebe Leonore!
      Ich bin verloren, wenn sie mich hier trifft!
      Fort! In der Gräfin Arme flücht ich mich! (Ab.)

ACHTER AUFTRITT

Kunigunde und Rosalie aus der Grotte.

Kunigunde (gibt Rosalien einen Schlüssel).
      Hier, nimm! – Im Schubfach, unter meinem Spiegel;
      Das Pulver, in der schwarzen Schachtel, rechts,

Schütt es in Wein, in Wasser oder Milch,
Und sprich: komm her, mein Käthchen! – Doch du nimmst
Vielleicht sie lieber zwischen deine Kniee?
5 Gift, Tod und Rache! Mach es, wie du willst,
Doch sorge mir, daß sies hinunterschluckt.
R o s a l i e. Hört mich nur an, mein Fräulein –
K u n i g u n d e. Gift! Pest! Verwesung!
Stumm mache sie und rede nicht!
10 Wenn sie vergiftet, tot ist, eingesargt,
Verscharrt, verwest, zerstiebt, als Myrtenstengel,
Vor dem, was sie jetzt sah, im Winde flüstert;
So komm und sprich von Sanftmut und Vergebung,
Pflicht und Gesetz und Gott und Höll und Teufel,
15 Von Reue und Gewissensbissen mir.
R o s a l i e. Sie hat es schon entdeckt, es hilft zu nichts.
K u n i g u n d e.
Gift! Asche! Nacht! Chaotische Verwirrung!
Das Pulver reicht, die Burg ganz wegzufressen,
20 Mit Hund und Katzen hin! – Tu, wie ich sagte!
Sie buhlt mir so zur Seite um sein Herz,
Wie ich vernahm, und ich – des Todes sterb ich,
Wenn ihn das Affenangesicht nicht rührt;
Fort! In die Dünste mit ihr hin: die Welt,
25 Hat nicht mehr Raum genug, für mich und sie! *(Ab.)*

FÜNFTER AKT

Szene: Worms. Freier Platz vor der kaiserlichen Burg, zur
Seite ein Thron; im Hintergrunde die Schranken des Gottes-
gerichts.

ERSTER AUFTRITT

Der Kaiser auf dem Thron. Ihm zur Seite der Erzbischof
von Worms, Graf Otto von der Flühe und mehrere andere
Ritter, Herren und Trabanten. Der Graf vom Strahl, im
leichten Helm und Harnisch, und Theobald, von Kopf zu
Fuß in voller Rüstung; beide stehen dem Thron gegenüber. 10

Der Kaiser.
    Graf Wetterstrahl, du hast, auf einem Zuge,
    Der durch Heilbronn dich, vor drei Monden, führte,
    In einer Törin Busen eingeschlagen;
    Den alten Vater jüngst verließ die Dirne, 15
    Und, statt sie heimzusenden, birgst du sie
    Im Flügel deiner väterlichen Burg.
    Nun sprengst du, solchen Frevel zu beschönen,
    Gerüchte, lächerlich und gottlos, aus;
    Ein Cherubim, der dir zu Nacht erschienen, 20
    Hab dir vertraut, die Maid, die bei dir wohnt,
    Sei meiner kaiserlichen Lenden Kind.
    Solch eines abgeschmackt prophetschen Grußes
    Spott ich, wie sichs versteht, und meinethalb
    Magst du die Krone selbst aufs Haupt ihr setzen; 25
    Von Schwaben einst, begreifst du, erbt sie nichts,
    Und meinem Hof auch bleibt sie fern zu Worms.
    Hier aber steht ein tiefgebeugter Mann,
    Dem du, zufrieden mit der Tochter nicht,
    Auch noch die Mutter willst zur Metze machen; 30
    Denn er, sein Lebelang fand er sie treu,
    Und rühmt des Kinds unsel'gen Vater *sich*.
    Darum, auf seine schweren Klagen, riefen wir
    Vor unsern Thron dich her, die Schmach, womit

Du ihre Gruft geschändet, darzutun;
Auf, rüste dich, du Freund der Himmlischen:
Denn du bist da, mit einem Wort von Stahl,
Im Zweikampf ihren Ausspruch zu beweisen!

5 **Der Graf vom Strahl** *(mit dem Erröten des Unwillens).* Mein kaiserlicher Herr! Hier ist ein Arm,
Von Kräften strotzend, markig, stahlgeschient,
Geschickt im Kampf dem Teufel zu begegnen;
Treff ich auf jene graue Scheitel dort,
10 Flach schmettr' ich sie, wie einen Schweizerkäse,
Der gärend auf dem Brett des Sennen liegt.
Erlaß, in deiner Huld und Gnade, mir,
Ein Märchen, aberwitzig, sinnverwirrt,
Dir darzutun, das sich das Volk aus zwei
15 Ereignissen, zusammen seltsam freilich,
Wie die zwei Hälften eines Ringes, passend,
Mit müßgem Scharfsinn, an einander setzte.
Begreif, ich bitte dich, in deiner Weisheit,
Den ganzen Vorfall der Silvesternacht,
20 Als ein Gebild des Fiebers, und so wenig
Als es mich kümmern würde, träumtest du,
Ich sei ein Jud, so wenig kümmre dich,
Daß ich gerast, die Tochter jenes Mannes
Sei meines hochverehrten Kaisers Kind!

25 **Erzbischof.**
Mein Fürst und Herr, mit diesem Wort, fürwahr,
Kann sich des Klägers wackres Herz beruhgen.
Geheimer Wissenschaft, sein Weib betreffend,
Rühmt er sich nicht; schau, was er der Mariane
30 Jüngst, in geheimer Zwiesprach, vorgeschwatzt:
Er hat es eben jetzo widerrufen!
Straft um den Wunderbau der Welt ihn nicht,
Der ihn, auf einen Augenblick, verwirrt.
Er gab, vor einer Stund, o Theobald,
35 Mir seine Hand, das Käthchen, wenn du kommst
Zu Strahl, in seiner Burg, dir abzuliefern;
Geh hin und tröste dich und hole sie,
Du alter Herr, und laß die Sache ruhn!

Theobald.
40 Verfluchter Heuchler, du, wie kannst du leugnen,

> Daß deine Seele ganz durchdrungen ist,
> Vom Wirbel bis zur Sohle, von dem Glauben,
> Daß sie des Kaisers Bänkeltochter sei?
> Hast du den Tag nicht, bei dem Kirchenspiel,
> Erforscht, wann sie geboren, nicht berechnet,
> Wohin die Stunde der Empfängnis fällt;
> Nicht ausgemittelt, mit verruchtem Witze,
> Daß die erhabne Majestät des Kaisers
> Vor sechzehn Lenzen durch Heilbronn geschweift?
> Ein Übermütiger, aus eines Gottes Kuß,
> Auf einer Furie Mund gedrückt, entsprungen;
> Ein glanzumfloßner Vatermördergeist,
> An jeder der granitnen Säulen rüttelnd,
> In dem urewgen Tempel der Natur;
> Ein Sohn der Hölle, den mein gutes Schwert
> Entlarven jetzo, oder, rückgewendet,
> Mich selbst zur Nacht des Grabes schleudern soll!

Der Graf vom Strahl.

> Nun, den Gott selbst verdamme, gifterfüllter
> Verfolger meiner, der dich nie beleidigt,
> Und deines Mitleids eher würdig wäre,
> So seis, Mordraufer, denn, so wie du willst.
> Ein Cherubim, der mir, in Glanz gerüstet,
> Zu Nacht erschien, als ich im Tode lag,
> Hat mir, was leugn' ichs länger, Wissenschaft,
> Entschöpft dem Himmelsbronnen, anvertraut.
> Hier vor des höchsten Gottes Antlitz steh ich,
> Und die Behauptung schmettr' ich dir ins Ohr:
> Käthchen von Heilbronn, die dein Kind du sagst,
> Ist meines höchsten Kaisers dort; komm her,
> Mich von dem Gegenteil zu überzeugen!

Der Kaiser. Trompeter, blast, dem Lästerer zum Tode!
> > > > *(Trompetenstöße.)*

Theobald *(zieht)*.

> Und wäre gleich mein Schwert auch eine Binse,
> Und einem Griffe, locker, wandelbar,
> Von gelbem Wachs geknetet, eingefugt,
> So wollt ich doch von Kopf zu Fuß dich spalten,
> Wie einen Giftpilz, der der Heid entblüht,
> Der Welt zum Zeugnis, Mordgeist, daß du logst!

Der Graf vom Strahl *(er nimmt sich sein Schwert ab und gibt es weg).*
> Und wär mein Helm gleich und die Stirn, die drunter,
> Durchsichtig, messerrückendünn, zerbrechlich,
5 > Die Schale eines ausgenommnen Eis,
> So sollte doch dein Sarraß, Funken sprühend,
> Abprallen, und in alle Ecken splittern,
> Als hättst du einen Diamant getroffen,
> Der Welt zum Zeugnis, daß ich wahr gesprochen!
10 > Hau, und laß jetzt mich sehn, wes Sache rein?
> *(Er nimmt sich den Helm ab und tritt dicht vor ihn.)*

Theobald *(zurückweichend).*
> Setz dir den Helm auf!

Der Graf vom Strahl *(folgt ihm).*
15 >   Hau!

Theobald.   Setz dir den Helm auf!

Der Graf vom Strahl *(stößt ihn zu Boden).*
> Dich lähmt der bloße Blitz aus meiner Wimper?
> *(Er windet ihm das Schwert aus der Hand, tritt über*
20 > *ihm und setzt ihm den Fuß auf die Brust.)*
> Was hindert mich, im Grimm gerechten Siegs,
> Daß ich den Fuß ins Hirn dir drücke? – Lebe!
> *(Er wirft das Schwert vor des Kaisers Thron.)*
> Mag es die alte Sphinx, die Zeit, dir lösen,
25 > Das Käthchen aber ist, wie ich gesagt,
> Die Tochter meiner höchsten Majestät!

Volk *(durcheinander).*
> Himmel! Graf Wetterstrahl hat obgesiegt!

Der Kaiser *(erblaßt und steht auf).*
30 > Brecht auf, ihr Herrn!

Erzbischof.   Wohin?

Ein Ritter *(aus dem Gefolge).*   Was ist geschehn?

Graf Otto. Allmächtger Gott! Was fehlt der Majestät?
> Ihr Herren, folgt! Es scheint, ihr ist nicht wohl? *(Ab.)*

Szene: Ebendaselbst. Zimmer im kaiserlichen Schloß.

ZWEITER AUFTRITT

Der Kaiser *(wendet sich unter der Tür).* Hinweg! Es
soll mir niemand folgen! Den Burggrafen von Freiburg
und den Ritter von Waldstätten laßt herein; das sind die
einzigen Männer, die ich sprechen will! *(Er wirft die Tür
zu.)* – – – Der Engel Gottes, der dem Grafen vom Strahl
versichert hat, das Käthchen sei meine Tochter: ich glaube,
bei meiner kaiserlichen Ehre, er hat recht! Das Mädchen
ist, wie ich höre, funfzehn Jahr alt; und vor sechszehn   10
Jahren, weniger drei Monaten, genau gezählt, feierte ich
der Pfalzgräfin, meiner Schwester, zu Ehren das große
Turnier in Heilbronn! Es mochte ohngefähr eilf Uhr
abends sein, und der Jupiter ging eben, mit seinem fun-
kelnden Licht, im Osten auf, als ich, vom Tanz sehr er-   15
müdet, aus dem Schloßtor trat, um mich in dem Garten,
der daran stößt, unerkannt, unter dem Volk, das ihn er-
füllte, zu erlaben; und ein Stern, mild und kräftig, wie
der, leuchtete, wie ich gar nicht zweifle, bei ihrer Emp-
fängnis. Gertrud, so viel ich mich erinnere, hieß sie, mit   20
der ich mich in einem, von dem Volk minder besuchten,
Teil des Gartens, beim Schein verlöschender Lampen, während die Musik, fern von dem Tanzsaal her, in den Duft
der Linden niedersäuselte, unterhielt; und Käthchens Mutter heißt Gertrud! Ich weiß, daß ich mir, als sie sehr   25
weinte, ein Schaustück, mit dem Bildnis Papst Leos, von
der Brust losmachte, und es ihr, als ein Andenken von
mir, den sie gleichfalls nicht kannte, in das Mieder steckte;
und ein solches Schaustück, wie ich eben vernehme, besitzt
das Käthchen von Heilbronn! O Himmel! Die Welt   30
wankt aus ihren Fugen! Wenn der Graf vom Strahl, dieser Vertraute der Auserwählten, von der Buhlerin, an die
er geknüpft ist, loslassen kann: so werd ich die Verkündigung wahrmachen, den Theobald, unter welchem Vor-
wand es sei, bewegen müssen, daß er mir dies Kind ab-   35
trete, und sie mit ihm verheiraten müssen: will ich nicht
wagen, daß der Cherub zum zweitenmal zur Erde steige
und das ganze Geheimnis, das ich hier den vier Wänden
anvertraut, ausbringe! *(Ab.)*

DRITTER AUFTRITT

*Burggraf von Freiburg und Georg von Waldstätten treten
auf. Ihnen folgt Ritter Flammberg.*

F l a m m b e r g *(erstaunt).* Herr Burggraf von Freiburg! –
Seid Ihr es, oder ist es Euer Geist? O eilt nicht, ich beschwör Euch –!

F r e i b u r g *(wendet sich).* Was willst du?

G e o r g. Wen suchst du?

F l a m m b e r g. Meinen bejammernswürdigen Herrn, den
Grafen vom Strahl! Fräulein Kunigunde, seine Braut – o
hätten wir sie Euch nimmermehr abgewonnen! Den Koch
hat sie bestechen wollen, dem Käthchen Gift zu reichen –:
Gift, ihr gestrengen Herren, und zwar aus dem abscheu-
lichen, unbegreiflichen und rätselhaften Grunde, weil das
Kind sie im Bade belauschte!

F r e i b u r g. Und das begreift ihr nicht?

F l a m m b e r g. Nein!

F r e i b u r g. So will ich es dir sagen. Sie ist eine mosaische
Arbeit, aus allen drei Reichen der Natur zusammenge-
setzt. Ihre Zähne gehören einem Mädchen aus München,
ihre Haare sind aus Frankreich verschrieben, ihrer Wangen Gesundheit kommt aus den Bergwerken in Ungarn,
und den Wuchs, den ihr an ihr bewundert, hat sie einem
Hemde zu danken, das ihr der Schmied, aus schwedischem
Eisen, verfertigt hat. – Hast du verstanden?

F l a m m b e r g. Was!

F r e i b u r g. Meinen Empfehl an deinen Herrn! *(Ab.)*

G e o r g. Den meinigen auch! – Der Graf ist bereits nach
der Strahlburg zurück; sag ihm, wenn er den Haupt-
schlüssel nehmen, und sie in der Morgenstunde, wenn ihre
Reize auf den Stühlen liegen, überraschen wolle, so könne
er seine eigne Bildsäule werden und sich, zur Verewigung
seiner Heldentat, bei der Köhlerhütte aufstellen lassen!
(Ab.)

Szene: Schloß Wetterstrahl. Kunigundens Zimmer.

VIERTER AUFTRITT

*Rosalie, bei der Toilette des Fräuleins beschäftigt. Kuni-
gunde tritt ungeschminkt, wie sie aus dem Bette kömmt,
auf; bald darauf der Graf vom Strahl.*

K u n i g u n d e *(indem sie sich bei der Toilette niedersetzt).*
    Hast du die Tür besorgt?
R o s a l i e.   Sie ist verschlossen.
K u n i g u n d e.
    Verschlossen! Was! Verriegelt, will ich wissen!   1
    Verschlossen *und* verriegelt, jedesmal!
*(Rosalie geht, die Tür zu verriegeln; der Graf kommt ihr
entgegen.)*
R o s a l i e *(erschrocken).*
    Mein Gott! Wie kommt Ihr hier herein, Herr Graf?   1
    – Mein Fräulein!
K u n i g u n d e *(sieht sich um).*
                Wer?
R o s a l i e.   Seht, bitt ich Euch!
K u n i g u n d e.   Rosalie!   2
    (Sie erhebt sich schnell, und geht ab.)

FÜNFTER AUFTRITT

Der Graf vom Strahl und Rosalie.

D e r   G r a f   v o m   S t r a h l *(steht wie vom Donner
gerührt).* Wer war die unbekannte Dame?   2
R o s a l i e.   – Wo?
D e r   G r a f   v o m   S t r a h l.
    Die, wie der Turm von Pisa, hier vorbeiging? –
    Doch, hoff ich, nicht –?
R o s a l i e.   Wer?   3
D e r   G r a f   v o m   S t r a h l.   Fräulein Kunigunde?
R o s a l i e.
    Bei Gott, ich glaub, Ihr scherzt! Sybille, meine
    Stiefmutter, gnädger Herr –
K u n i g u n d e *(drinnen).*   Rosalie!   3

R o s a l i e. Das Fräulein, das im Bett liegt, ruft nach mir. –
    Verzeiht, wenn ich –! *(Sie holt einen Stuhl.)*
                                  Wollt Ihr Euch gütigst setzen?
    (Sie nimmt die Toilette und geht ab.)

SECHSTER AUFTRITT

D e r G r a f v o m S t r a h l *(vernichtet).*
    Nun, du allmächtger Himmel, meine Seele,
    Sie ist doch wert nicht, daß sie also heiße!
    Das Maß, womit sie, auf dem Markt der Welt,
    Die Dinge mißt, ist falsch; scheusel'ge Bosheit
    Hab ich für milde Herrlichkeit erstanden!
    Wohin flücht ich, Elender, vor mir selbst?
    Wenn ein Gewitter wo in Schwaben tobte,
    Mein Pferd könnt ich, in meiner Wut, besteigen,
    Und suchen, wo der Keil mein Haupt zerschlägt!
    Was ist zu tun, mein Herz? Was ist zu lassen?

SIEBENTER AUFTRITT

*Kunigunde, in ihrem gewöhnlichen Glanz, Rosalie und die
alte Sybille, die schwächlich, auf Krücken, durch die Mittel-
tür abgeht.*
K u n i g u n d e.
    Sieh da, Graf Friederich! Was für ein Anlaß
    Führt Euch so früh in meine Zimmer her?
D e r G r a f v o m S t r a h l *(indem er die Sybille mit
    den Augen verfolgt).*
    Was! Sind die Hexen doppelt?
K u n i g u n d e *(sieht sich um).*   Wer?
D e r G r a f v o m S t r a h l *(faßt sich).* Vergebt! –
    Nach Eurem Wohlsein wollt ich mich erkunden.
K u n i g u n d e. Nun? – Ist zur Hochzeit alles vorbereitet?
D e r G r a f v o m S t r a h l *(indem er näher tritt und sie
    prüft).* Es ist, bis auf den Hauptpunkt, ziemlich alles –
K u n i g u n d e *(weicht zurück).*
    Auf wann ist sie bestimmt?
D e r G r a f v o m S t r a h l.   Sie wars – auf morgen.

K u n i g u n d e *(nach einer Pause).*
    Ein Tag mit Sehnsucht längst von mir erharrt!
    – Ihr aber seid nicht froh, dünkt mich, nicht heiter?
D e r G r a f v o m S t r a h l *(verbeugt sich).*
    Erlaubt! ich bin der Glücklichste der Menschen!   5
R o s a l i e *(traurig).*
    Ists wahr, daß jenes Kind, das Käthchen, gestern,
    Das Ihr im Schloß beherbergt habt –?
D e r G r a f v o m S t r a h l.   O Teufel!
K u n i g u n d e *(betreten).*   10
    Was fehlt Euch? Sprecht!
R o s a l i e *(für sich).*   Verwünscht!
D e r G r a f v o m S t r a h l *(faßt sich).*
                    – Das Los der Welt!
    Man hat sie schon im Kirchhof beigesetzt.   15
K u n i g u n d e. Was Ihr mir sagt!
R o s a l i e.   Jedoch noch nicht begraben?
K u n i g u n d e.
    Ich muß sie doch im Leichenkleid, noch sehn.

ACHTER AUFTRITT   20

Ein Diener tritt auf. Die Vorigen.

D i e n e r. Gottschalk schickt einen Boten, gnädger Herr,
    Der Euch im Vorgemach zu sprechen wünscht!
K u n i g u n d e.
    Gottschalk?   25
R o s a l i e.   Von wo?
D e r G r a f v o m S t r a h l. Vom Sarge der Verblichnen!
    Laßt Euch im Putz, ich bitte sehr, nicht stören! *(Ab.)*

NEUNTER AUFTRITT

Kunigunde und Rosalie.
(Pause.)   30

K u n i g u n d e *(ausbrechend).*
    Er weiß, umsonst ists, alles hilft zu nichts,
    Er hats gesehn, es ist um mich getan!

R o s a l i e. Er weiß es nicht!
K u n i g u n d e.   Er weiß!
R o s a l i e.   Er weiß es nicht!
    Ihr klagt, und ich, vor Freuden möcht ich hüpfen.
5   Er steht im Wahn, daß die, die hier gesessen,
    Sybille, meine Mutter, sei gewesen;
    Und nimmer war ein Zufall glücklicher
    Als daß sie just in Eurem Zimmer war;
    Schnee, im Gebirg gesammelt, wollte sie,
10   Zum Waschen eben Euch ins Becken tragen.
K u n i g u n d e. Du sahst, wie er mich prüfte, mich ermaß.
R o s a l i e. Gleichviel! Er traut den Augen nicht! Ich bin
    So fröhlich, wie ein Eichhorn in den Fichten!
    Laßt sein, daß ihm von fern ein Zweifel kam;
15   Daß Ihr Euch zeigtet, groß und schlank und herrlich,
    Schlägt seinen Zweifel völlig wieder nieder.
    Des Todes will ich sterben, wenn er nicht,
    Den Handschuh jedem hinwirft, der da zweifelt,
    Daß ihr die Königin der Frauen seid.
20   O seid nicht mutlos! Kommt und zieht Euch an;
    Der nächsten Sonne Strahl, was gilts begrüßt Euch,
    Als Gräfin Kunigunde Wetterstrahl!
K u n i g u n d e. Ich wollte, daß die Erde mich verschlänge!
    (Ab.)

25 Szene: Das Innere einer Höhle mit der Aussicht auf eine
                     Landschaft.

ZEHNTER AUFTRITT

Käthchen, in einer Verkleidung, sitzt traurig auf einem
Stein, den Kopf an die Wand gelehnt. Graf Otto von der
30 *Flühe, Wenzel von Nachtheim, Hans von Bärenklau, in der*
Tracht kaiserlicher Reichsräte, und Gottschalk treten auf.
Gefolge, zuletzt der Kaiser und Theobald, welche in Män-
teln verhüllt, im Hintergrunde bleiben.

G r a f O t t o *(eine Pergamentrolle in der Hand).*
35   Jungfrau von Heilbronn! Warum herbergst du,
    Dem Sperber gleich, in dieser Höhle Raum?

Käthchen *(steht auf).*
　　O Gott! Wer sind die Herrn?
Gottschalk.　　　　　　　Erschreckt sie nicht! –
　　Der Anschlag einer Feindin, sie zu töten,
　　Zwang uns, in diese Berge sie zu flüchten.
Graf Otto.
　　Wo ist dein Herr, der Reichsgraf, dem du dienst?
Käthchen. Ich weiß es nicht.
Gottschalk.　　　　　　Er wird sogleich erscheinen!
Graf Otto *(gibt ihr das Pergament).*
　　Nimm diese Rolle hier; es ist ein Schreiben,
　　Verfaßt von kaiserlicher Majestät.
　　Durchfleuchs und folge mir; hier ist kein Ort,
　　Jungfraun, von deinem Range, zu bewirten;
　　Worms nimmt fortan, in seinem Schloß, dich auf!
Der Kaiser *(im Hintergrund).*
　　Ein lieber Anblick!
Theobald.　　　　O ein wahrer Engel!

EILFTER AUFTRITT

Der Graf vom Strahl tritt auf. Die Vorigen.

Der Graf vom Strahl *(betroffen).*
　　Reichsrät, in festlichem Gepräng, aus Worms!
Graf Otto. Seid uns gegrüßt, Herr Graf!
Der Graf vom Strahl.　　– Was bringt Ihr mir?
Graf Otto. Ein kaiserliches Schreiben dieser Jungfrau!
　　Befragt sie selbst; sie wird es Euch bedeuten.
Der Graf vom Strahl.
　　O Herz, was pochst du?
　　(Zu Käthchen.)　　　　Kind, was hältst du da?
Käthchen. Weiß nit, mein hoher Herr. –
Gottschalk.　　　　　　Gib, gib, mein Herzchen.
Der Graf vom Strahl *(liest).*
　　»Der Himmel, wisset, hat mein Herz gestellt,
　　Das Wort des Auserwählten einzulösen.
　　Das Käthchen ist nicht mehr des Theobalds,
　　Des Waffenschmieds, der mir sie abgetreten,
　　Das Käthchen fürderhin ist meine Tochter,

Und Katharina heißt sie jetzt von Schwaben.«
(Er durchblättert die andern Papiere.)
Und hier: »Kund sei« – Und hier: »das Schloß zu
Schwabach« –

5 *(Kurze Pause.)*
Nun möcht ich vor der Hochgebenedeiten
In Staub Fuß werfen, ihren Fuß ergreifen,
Und mit des Danks glutheißer Träne waschen.
Käthchen *(setzt sich).*

10 Gottschalk, hilf, steh mir bei; mir ist nicht wohl!
Der Graf vom Strahl *(zu den Räten).*
Wo ist der Kaiser? Wo der Theobald?
Der Kaiser *(indem beide ihre Mäntel abwerfen).*
Hier sind sie!

15 Käthchen *(steht auf).* Gott im hohen Himmel! Vater!
(Sie eilt auf ihn zu; er empfängt sie.)
Gottschalk *(für sich).*
Der Kaiser! Ei, so wahr ich bin! Da steht er!
Der Graf vom Strahl.

20 Nun, sprich du – Göttlicher! Wie nenn ich dich?
– Sprich, las ich recht?
Der Kaiser. Beim Himmel, ja, das tatst du!
Die einen Cherubim zum Freunde hat,
Der kann mit Stolz ein Kaiser Vater sein!

25 Das Käthchen ist die Erst' itzt vor den Menschen,
Wie sies vor Gott längst war; wer sie begehrt,
Der muß bei mir jetzt würdig um sie frein.
Der Graf vom Strahl *(beugt ein Knie vor ihm).*
Nun, hier auf Knieen bitt ich: gib sie mir!

30 Der Kaiser. Herr Graf! Was fällt Ihm ein?
Der Graf vom Strahl. Gib, gib sie mir!
Welch andern Zweck ersänn ich deiner Tat?
Der Kaiser.
So! Meint Er das? – Der Tod nur ist umsonst,

35 Und die Bedingung setz ich dir.
Der Graf vom Strahl. Sprich! Rede!
Der Kaiser *(ernst).*
In deinem Haus den Vater nimmst du auf!
Der Graf vom Strahl.

40 Du spottest!

Der Kaiser. Was! du weigerst dich?
Der Graf vom Strahl.   In Händen!
  In meines Herzens Händen nehm ich ihn!
Der Kaiser (zu Theobald).
  Nun, Alter; hörtest du?
Theobald (führt ihm Käthchen zu).   So gib sie ihm!
  Was Gott fügt, heißt es, soll der Mensch nicht scheiden.
Der Graf vom Strahl (steht auf, und nimmt Käth-
  chens Hand).
    Nun denn, zum Sel'gen hast du mich gemacht! –
    Laßt einen Kuß mich, Väter, einen Kuß nur
    Auf ihre himmelsüßen Lippen drücken.
    Hätt ich zehn Leben, nach der Hochzeitsnacht,
    Opfr' ich sie jauchzend jedem von euch hin!
Der Kaiser. Fort jetzt! daß er das Rätsel ihr erkläre!
  (Ab.)

ZWÖLFTER AUFTRITT

Der Graf vom Strahl und das Käthchen.

Der Graf vom Strahl (indem er sie bei der Hand
  nimmt, und sich setzt).
    Nun denn, mein Käthchen, komm! komm her, o
                                        Mädchen!
    Mein Mund hat jetzt dir etwas zu vertraun.
Käthchen. Mein hoher Herr! Sprich! Was bedeutet mir –?
Der Graf vom Strahl.
    Zuerst, mein süßes Kind, muß ich dir sagen,
    Daß ich mit Liebe dir, unsäglich, ewig,
    Durch alle meine Sinne zugetan.
    Der Hirsch, der von der Mittagsglut gequält,
    Den Grund zerwühlt, mit spitzigem Geweih,
    Er sehnt sich so begierig nicht,
    Vom Felsen in den Waldstrom sich zu stürzen,
    Den reißenden, als ich, jetzt, da du mein bist,
    In alle deine jungen Reize mich.
Käthchen (schamrot).
    Jesus! Was sprichst du? Ich versteh dich nicht.
Der Graf vom Strahl.
    Vergib mir, wenn mein Wort dich oft gekränkt,

Beleidigt; meine roh mißhandelnde
Gebärde dir zuweilen weh getan.
Denk ich, wie lieblos einst mein Herz geeifert,
Dich von mir wegzustoßen – und seh ich gleichwohl
                                        jetzo dich
So voll von Huld und Güte vor mir stehn,
Sieh, so kommt Wehmut, Käthchen, über mich,
Und meine Tränen halt ich nicht zurück. *(Er weint.)*

K ä t h c h e n *(ängstlich)*.
Himmel! Was fehlt dir? Was bewegt dich so?
Was hast du mir getan? Ich weiß von nichts.

D e r G r a f v o m S t r a h l.
O Mädchen, wenn die Sonne wieder scheint,
Will ich den Fuß in Gold und Seide legen,
Der einst auf meiner Spur sich wund gelaufen.
Ein Baldachin soll diese Scheitel schirmen,
Die einst der Mittag hinter mir versengt.
Arabien soll sein schönstes Pferd mir schicken,
Geschirrt in Gold, mein süßes Kind zu tragen,
Wenn mich ins Feld der Klang der Hörner ruft;
Und wo der Zeisig sich das Nest gebaut,
Der zwitschernde, in dem Holunderstrauch,
Soll sich ein Sommersitz dir auferbaun,
In heitern, weitverbreiteten Gemächern,
Mein Käthchen, kehr ich wieder, zu empfangen.

K ä t h c h e n. Mein Friederich! Mein angebeteter!
Was soll ich auch von dieser Rede denken?
Du willst? – Du sagst? – *(Sie will seine Hand küssen.)*

D e r G r a f v o m S t r a h l *(zieht sie zurück)*.
                        Nichts, nichts, mein süßes Kind.
(Er küßt ihre Stirn.)

K ä t h c h e n. Nichts?

D e r G r a f v o m S t r a h l.
                        Nichts. Vergib. Ich glaubt, es wäre morgen.
– Was wollt ich doch schon sagen? – Ja, ganz recht,
Ich wollte dich um einen Dienst ersuchen.
(Er wischt sich die Tränen ab.)

K ä t h c h e n *(kleinlaut.)*
Um einen Dienst? Nun, welchen? Sag nur an.
(Pause.)

Der Graf vom Strahl.
>   Ganz recht. Das wars. – Du weißt, ich mache morgen
>   Hochzeit.
>
>   Es ist zur Feier alles schon bereitet;
>   Am nächsten Mittag bricht der Zug,
>   Mit meiner Braut bereits zum Altar auf.
>   Nun sann ich mir ein Fest aus, süßes Mädchen,
>   Zu welchem du die Göttin spielen sollst.
>   Du sollst, aus Lieb zu deinem Herrn, für morgen
>   Die Kleidung, die dich deckt, beiseite legen,
>   Und in ein reiches Schmuckgewand dich werfen,
>   Das Mutter schon für dich zurecht gelegt.
>   – Willst du das tun?

Käthchen (*hält ihre Schürze vor die Augen*).
>   Ja, ja, es soll geschehn.

Der Graf vom Strahl.
>   Jedoch recht schön; hörst du? Schlicht aber prächtig!
>   Recht, wies Natur und Weis in dir erheischt.
>   Man wird dir Perlen und Smaragden reichen;
>   Gern möcht ich daß du alle Fraun im Schloß,
>   Selbst noch die Kunigunde überstrahlst. –
>   Was weinst du?

Käthchen.   – Ich weiß nicht, mein verehrter Herr.
>   Es ist ins Aug mir was gekommen.

Der Graf vom Strahl.   Ins Auge? Wo?
>   (*Er küßt ihr die Tränen aus den Augen.*)
>   Nun komm nur fort. Es wird sich schon erhellen.
>   (*Er führt sie ab.*)

Szene: Schloßplatz, zur Rechten, im Vordergrund, ein Portal. Zur Linken, mehr in der Tiefe, das Schloß, mit einer Rampe. Im Hintergrund die Kirche.

DREIZEHNTER AUFTRITT

Marsch. Ein Aufzug. Ein Herold eröffnet ihn; darauf Trabanten. Ein Baldachin von vier Mohren getragen. In der Mitte des Schloßplatzes stehen der Kaiser, der Graf vom Strahl, Theobald, Graf Otto von der Flühe, der Rheingraf

vom Stein, der Burggraf von Freiburg und das übrige Ge-
folge des Kaisers und empfangen den Baldachin. Unter dem
Portal, rechts Fräulein Kunigunde von Thurneck im Braut-
schmuck, mit ihren Tanten und Vettern, um sich dem Zuge
anzuschließen. Im Hintergrunde Volk, worunter Flammberg,
Gottschalk, Rosalie usw.

Der Graf vom Strahl. Halt hier, mit dem Baldachin! – Herold, tue dein Amt!

Der Herold *(ablesend).* »Kund und zu wissen sei hier-
mit jedermann, daß der Reichsgraf, Friedrich Wetter vom
Strahl, heut seine Vermählung feiert, mit Katharina, Prinzessin von Schwaben, Tochter unsers durchlauchtigsten
Herrn Herrn und Kaisers. Der Himmel segne das hohe
Brautpaar, und schütte das ganze Füllhorn von Glück, das
in den Wolken schwebt, über ihre teuren Häupter aus!«

Kunigunde *(zu Rosalie).* Ist dieser Mann besessen,
Rosalie?

Rosalie. Beim Himmel! Wenn er es nicht ist, so ist es
darauf angelegt, uns dazu zu machen.

Burggraf von Freiburg. Wo ist die Braut?

Ritter von Thurneck. Hier, ihr verehrungswürdi-
gen Herren!

Freiburg. Wo?

Thurneck. Hier steht das Fräulein, unsere Muhme,
unter diesem Portal!

Freiburg. Wir suchen die Braut des Grafen vom Strahl. –
Ihr Herren, an euer Amt! Folgt mir und laßt uns sie holen.

(Burggraf von Freiburg, Georg von Waldstätten und der
Rheingraf vom Stein, besteigen die Rampe und gehen ins
Schloß.)

Die Herren von Thurneck. Hölle, Tod und Teufel! Was haben diese Anstalten zu bedeuten?

VIERZEHNTER AUFTRITT

*Käthchen im kaiserlichen Brautschmuck, geführt von Gräfin
Helena und Fräulein Eleonore, ihre Schleppe von drei
Pagen getragen; hinter ihr Burggraf von Freiburg usw. stei-
gen die Rampe herab.*

G r a f   O t t o. Heil dir, o Jungfrau!

R i t t e r   F l a m m b e r g und G o t t s c h a l k. Heil dir,
 Käthchen von Heilbronn, kaiserliche Prinzessin von
 Schwaben!

V o l k. Heil dir! Heil! Heil dir!

H e r r n s t a d t und v o n   d e r   W a r t *(die auf dem
 Platz geblieben).* Ist dies die Braut?

F r e i b u r g. Dies ist sie.

K ä t h c h e n. Ich? Ihr hohen Herren! Wessen?

D e r   K a i s e r. Dessen, den dir der Cherub geworben.
 Willst du diesen Ring mit ihm wechseln?

T h e o b a l d. Willst du dem Grafen deine Hand geben?

D e r   G r a f   v o m   S t r a h l *(umfaßt sie).* Käthchen!
 Meine Braut! Willst du mich?

K ä t h c h e n. Schütze mich Gott und alle Heiligen!
             (Sie sinkt; die Gräfin empfängt sie.)

D e r   K a i s e r. Wohlan, so nehmt sie, Herr Graf vom
 Strahl, und führt sie zur Kirche!
                   (Glockenklang.)

K u n i g u n d e. Pest, Tod und Rache! Diesen Schimpf sollt
 ihr mir büßen! *(Ab, mit Gefolge.)*

D e r   G r a f   v o m   S t r a h l. Giftmischerin!

*(Marsch: Der Kaiser stellt sich mit Käthchen und dem Gra-
fen vom Strahl unter den Baldachin; die Damen und Ritter
folgen. Trabanten beschließen den Zug. – Alle ab.)*

(Ende.)

ANMERKUNGEN

5,3   *Vehmgericht:* Femgericht, heimliches Gericht im Mit-
telalter; ursprünglich die königlichen Gerichte in
Westfalen, die in öffentlichen oder geheimen Sitzun-
gen Recht sprachen.

7,9   *das heraufging aus der Wüsten ...:* Zitat aus dem
Hohenlied Salomos: »die heraufgeht aus der Wüste
wie ein gerader Rauch, wie ein Geräuch von Myrrhe«.

9,7   *Reisiger:* berittener Soldat; frühmhd. reisig = zum
Krieg gerüstet.

11,6   *wie einen Tau:* vielleicht fehlerhaft für ›wie [an]
einem Tau‹.

11,30   *wie der Affe die Pfoten der Katze:* In einer Fabel
Lafontaines läßt sich der Affe von der Katze die
Kastanien aus der Glut holen.

11,35   *ordiniere:* die Ritterweihe verleihe; nur dann könnte
sich Theobald einem Ritter zum Zweikampf stellen.

14,18   *Hekate:* aus Kleinasien stammende Gottheit der
griechischen Mythologie. Als Herrin des nächtlichen
Zaubers und der Giftmischerei, mit einer Fackel und
Schlangen im Haar dargestellt, galt sie dem Volk
teils als hilfreich, teils als unheimlich und verderb-
lich.

14,26   *Katarakt:* griech.-lat., Stromschnelle, Wasserfall.

14,33   *Opiate:* griech.-lat., opiumhaltige Arzneimittel, hier
wohl im Sinne von Rauschgiften verwendet.

29,13   *Phiolen:* griech.-lat.-mlat., birnen- oder kugelförmige
Glasgefäße mit langem Hals.

30,36   *griechischen Feuerfunken:* griechisches Feuer, eine
nur schwer löschbare Pulvermischung, bis ins 13. Jh.
häufig in Kriegen, besonders in Seekriegen, ver-
wandt, weil sie auch auf dem Wasser brannte.

31,3   *Hundsrück:* statt Hunsrück; diese Schreibung bei
Kleist öfters.

31,19   *schauten die andern:* vermutlich Lesefehler; Tieck
verbessert sinngemäß richtig ›scheuten die andern‹.

31,20 *Ribbe:* mhd. rippe, rib(b)e, riebe, alte Schreibweise
von Rippe, bis Ende des 18. Jh.s gebräuchlich.

35,24 *Thalestris:* nach Kleists Quelle für die »Penthesilea«
– Benjamin Hederich, Gründliches Lexikon mytholo-
gicum, 1724 – eine sagenhafte Königin der Amazonen. Sie soll, nach Pauly-Wissowa, i. J. 330 v. Chr.
in Hyrkanien mit dreihundert Begleiterinnen zu
Alexander und seinem Heer gekommen sein, um
Kinder zu zeugen. Alexander habe sie freundlich
aufgenommen und nach einigen Tagen reich beschenkt
entlassen. – Daß es sich bei dieser Episode, von der
mehrere antike Schriftsteller berichten, nicht um
eine historische Begebenheit, sondern um reine Erfindung handelt, war schon im Altertum bekannt.

36,3 *Honig von Hybla:* sizilischer Honig; Hybla: Berg in
Sizilien, bekannt für seine Bienenkräuter.

36,35 *Platon* (427–347 v. Chr.): griechischer Philosoph,
Schüler des Sokrates, Begründer der philosophischen
Akademie in Athen (387 v. Chr.), Vertreter eines
ethischen und metaphysischen Idealismus, von großer
Wirkung in der abendländischen Geistesgeschichte.

36,36 *Diogenes* von Sinope (geb. 323 v. Chr.): griechischer
Philosoph. Nach seiner Lehre ist die Bedürfnislosig-
keit das höchste Gut. Als Wanderlehrer wurde er
durch seinen schlagfertigen Witz und viele Anek-
doten bekannt.

51,9 *Wetzlar:* Das Reichskammergericht, durch den Worm-
ser Reichstag von 1495 errichtet, wurde erst 1693
nach Wetzlar verlegt. Es war von 1495 bis 1806 neben dem Reichshofrat das höchste Gericht im Deutschen Reich.

58,29 *Kollett:* kurzes Wams, Reitjacke.

58,31 *Dominikanerprior Hatto:* Unstimmigkeit im Text,
da Hatto im ersten Auftritt Augustinerprior ist.

63,1 *so fern dich:* Kleist gebraucht häufiger statt des üb-
lichen ›entfernen‹ die verkürzte Form.

70,36 *noch unberührt vom Strahl:* gemeint ist: vom Brand
(so von Tieck verbessert).

80,20 *Entwurf:* hier Experiment, Versuch.

95,6 *Sarraß:* poln., großer Säbel mit schwerer Klinge.

97,18 *mosaisch:* mosaikartig.
97,22 *aus den Bergwerken in Ungarn:* Dort wurde das
Zinnober gewonnen, das auch als Schminkfarbe verwendet wurde.
107,13 *Herrn Herrn:* kuriale Verdoppelung, im ehemaligen
Kanzleistil üblich, auch an fürstlichen Höfen bei der
Titelnennung.

Kleists Dramen
Neue Interpretationen

Herausgegeben von Walter Hinderer. 304 Seiten.
Format 15 × 21,5 cm. Paperback

Philipp Reclam jun. Stuttgart